Harvard Business Review
Emotional Intelligence
MINDFUL LISTENING

マインドフル・リスニング

ハーバード・ビジネス・レビュー編集部 編
DIAMONDハーバード・ビジネス・レビュー編集部 訳

ダイヤモンド社

Emotional
Intelligence
EIシリーズ

MINDFUL LISTENING
HBR Emotional Intelligence Series
by
Harvard Business Review

Published by arrangement with Harvard Business Review Press, Brighton, Massachusetts
through Tuttle-Mori Agency, Inc., Tokyo

マインドフル・リスニング　MINDFUL LISTENING　目次

［日本語版に寄せて］

「聴く力」には希少価値がある

エール取締役 **篠田真貴子**

本書のタイトル「マインドフル・リスニング」は、聴くことに注意を向ける、注意深く聴くといった意味合いだ。

私たちは学校でも職場でも、聴くということをあまり教わってきていない。話す方に関しては、プレゼンテーション研修など具体的な準備の仕方や話し方の指導を私たちは受けている。それに対して聴く方は、小学校で「姿勢良く静かに先生の話を聴きましょう」と教わっただけではないだろうか。

「聴く」力は、実は、現代の企業にとって重要な課題を解決するために欠かせない、というのが私の見解だ。それなのに現状では、「聴く」に興味を向ける人が非常に少ない。「聴く」力には、希少価値と大きな伸び代がある。

本稿では、聴くことは今の時代、とても重要になってきていること。しかし、これまであまり注目されてこなかったこと。だから、「聴く力」は希少性の高いスキルになっていることをお伝えしたい。その前に、まず「きく」について詳しく検討しよう。

「きく」ことによる、コミュニケーション改善の可能性

コミュニケーションは発信側と受け取り側、話す方ときく方がいて、初めて成立する。

コミュニケーションをキャッチボールに例えるならば、話す方は投げる方、きく方はキャッチする方だ。キャッチボールではキャッチする側の力量が高ければ、投げる方は安心して思い切り球を投げることができる。弱々しい球も、思わぬ方向に飛んでいってしまった球も、ちゃんとキャッチしてくれる。同じようにコミュニケーションにおいても、きく側の力量があれば、良いコミュニケーションが成立する。つまり、コミュニケーションの課題は、伝え方の工夫だけでなく、きき方の工夫によっても解決するポテンシャルが大いにあるわけだ。

それなのに私たちは、コミュニケーションの課題に直面したとき、きき方を工夫しようとか、

きくスキルを高めようとは、なかなか思いつかない。つい、「あの言い方がまずかったかな」「次はこんな言い方をしよう」など、伝え方にばかり注意を向けてしまう。具体的なコミュニケーションの場面で課題を改善するには、「伝える」だけでなく「きく」にもっと注意を向けたい。それには「きく」をもう少し理解する必要がある。

「肯定的意図」に注意を向けているか

私たちは、プライベートでも仕事においても、日々、対話をする。相手が話し、それを「きいて」いるはずだが、実際はさまざまなパターンがある。私個人の経験では、少なくとも四種類くらいはありそうだ。

①きいていない。
②きいているようで、きいていない。
③相手に注意を向けて、批評的にきく(critical listening)。
④相手の「肯定的意図」に注意を向けて、きく。

①きいていない。これは、相手が話している最中、スマホをいじる、別の作業もしている、ボーッとしてしまうなど、相手の話に意識がほとんど向いていない状態だ。そのため、「え、今、何て言った?」と聞き返してしまう。

②きいているようで、きいていない。これは、相手が話している最中から、何と返事しようか、次は何と言おうか、で頭がいっぱいになっている状態だ。例えば、仲間うち数人でワイワイ盛り上がっているとき、相手の話を遮ってテンポよくツッコミを入れたりする場面。このケースも、相手の話の内容には意識は向いていない。

③相手に注意を向けて、批評的にきく(critical listening)。この状態では、相手の話の内容に意識を向けて、遮らずにきいている。そして、自分の頭の中で「賛成」「それは違う」など、自分視点で評価をしながらきいている状態だ。例えば、後輩の仕事の相談を受けている時のイメージだ。

④相手の「肯定的意図」に注意を向けて、きく。これは、本書に収録された諸論文に共通する姿勢と言える。それは、相手は何らかの肯定的な意図をもって言ったという前提に立って、発言の意図や背景文脈を理解しようとする姿勢だ。仮に相手の発言がこちらへの反論であった

り、理解不能な内容だったりしたとしても、だ。人なら誰しも自分に良かれと思って行動している。自分も、自分と相入れないあの人もその点では同じ、という前提に立ってきく。「マインドフル・リスニング」とは、相手の肯定的意図を信じてきくことに他ならない。

相手の肯定的意図を前提にきく場合でも、相手の意図や背景文脈に共感できる場合と、共感が難しい場合がある。難しい場合とは、価値観が合わないケースだ。その場合は、いったん自分の物の見方を脇に置き、相手の視点で相手が見たことや感じたことを、自分の頭の中で再生できるようにして、きく。相手に共感できる場合を「聞く」とするなら、共感が難しい場合の方は「聴く」という字がふさわしい。

「きく」を四つに分類したが、①の「きいていない」以外は、いずれも「きいている」範疇（はんちゅう）に入る。②も含めて、状況に応じて適切なきき方ができるのが良い。それには、今、自分がどの「きき方」をしているか、自覚的になることが必要だ。

また、④の「肯定的意図」に注意を向けてきくことについては、多くの人に一定の意識と訓練が必要ではないだろうか。難しいと感じてしまうかもしれないが、「きき方」の幅を広げることは、人生において本質的な糧になる。

偉そうに書いてきたが、私自身「きく」ことはまったくできなかった。相手の話を遮って話し出すことや、「っていうかさ……」と相手の話を受け止めずに反論したり話題をずらしたりすることを、ごく自然に、相手の気持ちを慮ろうという発想もなく、やってきた。「できる自分を見せたい」という欲求が「きく」から私を遠ざけてきた。さらにその根底には、「価値がないと周りに思われたら、私は無視されてしまう」という、根拠のない、でも強い恐れがある。こうした欲求や恐れを私は今も抱えているが、「きく」ことの広がりと豊さを知ったことから、以前より多少は「きく」ことができるようになったかな、と思う。

実際、自分の「きき方」が相手の話したいモードとうまくかみ合った時、コミュニケーションはとても豊かで充実したものになる。ああ良かった、聴かせてくれてありがとう、という気持ちになれるのだ。私のような者には、これは新鮮な喜びだった。また体験したいという気持ちが生まれ、「きく」に意識が向くようになった。

ここまでは、時代を問わず普遍的な「きく」について検討してきた。ここからは、きくことは今の時代、とても重要になってきている。しかし、これまであまり注目されてこなかった。そのために、希少性の高いスキルになっている、という議論に移る。

今の時代、「聴く力」はますます重要に

今、「聴く力」は非常に重要になってきている。心理的安全性、イノベーション、SDGs（社会善）といった、現代の組織運営と経営にとって重要な取り組みは、どれも「聴く力」抜きには実現し得ないからだ。一つずつ説明していこう。

心理的安全性

グーグルは二〇一二年、社内のパフォーマンスの高いチームの特徴を解明しようと社内プロジェクト「プロジェクト・アリストテレス」を立ち上げた。その成果として、パフォーマンスが高いチームは「心理的安全性が高い」というキーワードが導かれた。心理的安全性とは「異なる意見を表明しても安全だ」と感じられる状態を指す。グーグルによると、心理的安全性の

高いチームには特徴が二つあるという。一つは、メンバー同士の話す量が均等であること。二つ目は、お互いの非言語コミュニケーションを読み取る力が高いことだ。

では、この二つの特徴を備えたチームではどのようなコミュニケーションがおきているか、ちょっと想像してみよう。話す量が均等なわけだから、例えば五人のチームであれば、それぞれ話している時間は二割だ。残りの八割の時間は聴いていることになる。上司もメンバーも、時間の八割は、お互いの話を聴いている。さらに非言語コミュニケーションを読み取る力が高いのでまさにお互い「聴き合っている」(マインドフル・リスニング)ということになる。

つまり、パフォーマンスが高いチームは心理的安全性が高い(異なる意見を表明できる)チームであり、心理的安全性が高いチームは、「聴き合う」チームだということだ。

イノベーション

イノベーションには「知の探索」と「知の深化」の両輪が必要だ。多くの組織は、経験を磨き込んで活用する「知の深化」が得意な一方で、自分の現在の認知の範囲外にある知を探索し、それを今自分の持っている知と新しく組み合わせる「知の探索」がなかなかできない。その理由は、組織というものは定義上、市場にある資本や人材などの生産資源を囲い込み、占有して目的達成のために使う仕組みであり、組織の内と外を隔てる壁をつくるからだ。結果として、組織の内側にヒト・モノ・情報を囲い込む引力が強くなり、外側に探索に行く力学が働きにくい。加えて、組織の内側で通用する文脈や意図と、組織の外の文脈や意図の間には、ズレが生じる。

この状況で、イノベーションのきっかけをどう作るか、ちょっと想像してみよう。アイデアをつなぐには、コミュニケーションが必要だ。自分が現在知らないアイデアをキャッチするには、自分とは文脈や価値観の異なる人と質の高いコミュニケーションを取らねばならない。組織の多様性が高いとイノベーションが高いと言われるが、多様性とイノベーションをつなぐのは「聴く」力だ。文脈や価値観が異なるがゆえに、自然な共感が生まれにくい者同士が有意義なコミュニケーションを成立させるには、互いに「肯定的な意図があることを前提に聴く」ことが必須だからだ。

ましてや、オープン・イノベーションと言われるような営みにおいては、組織の内と外を隔てる壁を超えるほどの「肯定的な意図を信じて、聴く」力が必須だ。「聴く」力が足りないと、社外の相手の意図や背景を十分に汲み取れず、協業は成立しない。社外と直接やりとりをする担当者だけでなく、社内で意思決定に関わる部署も含め、組織全体の「聴く」力なくして、イノベーションは実現しない。

社会善

企業にはさまざまなステークホルダーがある。従業員、顧客、取引先、株主、事業を営む地域などがそうであり、それらを取り巻く社会とも相互に影響を与え合っている。これらのステークホルダーとは、それぞれと利益が一致する部分もある一方で、基本的には、背景や文脈がお互いにかなり異なる。そのため、自然な共感が生まれにくい。そうしたステークホルダーとの間で、有意義なコミュニケーションを交わすことが、企業が社会にとって善き存在となる第一歩だ。

企業の歴史をひも解くと、産業革命の頃の児童労働や煙をモクモク出しての大気汚染に始まり、現代まで、企業は労働問題や環境問題の当事者であり続けている。個々の企業がわざと悪いことをしようと思っているわけではないのに、一八世紀から現代まで問題が繰り返されるのは、構造的な要因があるからだ。先に述べたように、どのような組織も定義上、社会と自分たちの間に壁をつくっている。そのため、壁の内側で交わされるコミュニケーションは、壁の外の世界で交わされるコミュニケーションと断絶している。その結果、組織の中でなされる対話や醸成される価値観が、だんだん外側の社会と乖離してきてしまい、知らず知らずのうちに独りよがりになってしまうのだ。結果、社会との軋轢（あつれき）が生まれてしまう。

こうした構造的な問題に対し、先人たちはさまざまな規制や制度などの仕組みをつくり、企業活動のメリットが活きマイナス面が最小限に止まるよう、工夫を凝らしてきた。ＳＤＧｓはその一例だ。あらゆる仕組みの運用に言えることだが、仕組みの基本的なコンセプトの理解がなければ、運用は骨抜きになってしまう。企業が社会にとって善き存在であり続けるには、組織の内側にいながら、外側にいるさまざまなステークホルダーの背景や文脈を踏まえ、あちらから自分たちがどう見えるのかを受け止める力が必要だ。価値観が異なる他者との対話力、すなわち「聴く」力を組織全体で高めることは、組織を取り巻くさまざまなステークホルダーとの建設的な関係を築くのに欠かせない。

ここまで、心理的安全性、イノベーション、社会善の三つの観点から、「聴く」力が重要になってきていることを示してきた。三点とも、文脈や価値観の違う他者に対する「聴く力」が高まることで、コミュニケーションが良くなるということに立脚しているのがポイントだ。

「聴く」ことの重要性は認識されていない、だから希少価値がある

ここまで述べた通り、現代の企業が直面する課題は「聴く」力なしに解決することは難しい。しかし、「聴く」ことの重要性は、ほとんど認識されていない。その理由は、「聴く力」は「優秀なビジネスパーソン」のイメージ像とはむしろ逆行するものだからだ、と考えている。

私自身、「聴く」に関しては、ずっと誤解してきた。

一つ目は、「聴く」＝従う、という誤解だ。子供の頃、私たちは大人から「言うことを聞きなさい」と言われて育ってきた。それは「従いなさい」という意味だ。大人になった今も、相手の話を聴くということは相手の主張を受け入れること、相手の指示に従うことだという刷り込みが、私にはある。

二つ目は、「聴く」は受け身だ、という誤解だ。聴いていると会話のイニシアチブ、あるいは相手との関係性のイニシアチブを取れない。話すことでしか、会話の主導権や関係性の主導権を握れない、だからプレゼンテーションや話法は大事なのだ、という世界観に縛られてきた。

三つ目は、「聴く」は知的価値が低い、という誤解だ。会議では黙って参加しているだけでは価値がないから発言せよ。黙っていてもチャンスは巡ってこないから発信せよ。発言や発信にこそ知的価値がある。ということは、発言・発信がないなら価値はない。強迫観念に近い思い込みを私は持ってきた。

四つ目は、「聴いてもらう」ことは、自分のメンタルが弱っている時だけ必要なもの、という誤解だ。「聴いてもらう」とは愚痴を吐き出させてもらうことであり、建設的ではない。悩みや課題は自分で対処するのが自立した大人である、と信じてきた。

実際、この四つの点は必ずしも間違ってはいない。ただ、「聴く」を少し深く理解すると、決してそれだけとは限らず、むしろ逆のことが結構あるということに気づく。

しかし、向上心が高く成功を目指す人ほど、私と同じような誤解をしているのではないだろうか。「優秀」であろうとするほど、「聴く」に意識を向けにくくなってしまうのだ。なぜなら、

「聴く」は「優秀なビジネスパーソン」のイメージに逆行するから。そのような人に、ちょっと「聴くって大切ですよ」と伝えたくらいでは、まったく響かないだろう。

ここに「賢者の盲点」とも言うべきパラドックスがある。

「聴く」力は、現代の企業にとって重要な課題を解決するために欠かせない。それなのに、重要課題に取り組む優秀な「賢者」たちは、「聴く」に意識が向きにくい。「聴く」力の希少価値は高まっていくだろう。

私は現在、「聴く」をサービスとして企業の社員に提供している、エール株式会社で働いている。具体的には、社外の副業人材がオンラインで週一回三〇分、企業の社員の話を聴くサービスだ。利害関係のない第三者に聴いてもらうと、思考や感情がすっきりする。その方のメンタルスコアや、その組織の社員満足度などにプラスの効果がある。エールの経営にあたりながら、また自分のこれまでのキャリアを通して、私は「聴く」「聴いてもらう」ことと、仕事、組織、社会のあり方について、考えてきた。その一端を本稿でご紹介した。

ここまで、「マインドフル・リスニング」、すなわち注意を向けて聴くとは何で（Ｗｈａｔ）、なぜそれが現代の日本の私たちに重要か（Ｗｈｙ）、お伝えしてきた。本書では各論文の筆者がそれぞれ考えるＷｈａｔとＷｈｙがあり、加えてＨｏｗが詳しく述べられている。ぜひ何か一つでも試してみて、「聴く」がもたらす豊さと成果を感じていただけたら幸いだ。

1

聞き上手になるために何をすべきか

ジャック・ゼンガー
Jack Zenger
ジョセフ・フォークマン
Joseph Folkman

"What Great Listeners Actually Do,"
HBR.ORG, July 14, 2016.

ほとんどの人は、自分が聞き上手だと勘違いしている

自分は聞き上手だと思っている人が多い。「聞く能力」の自己評価は、運転技術の自己評価と同じで、ほとんどの人が自分は平均よりましだと思っている。あなたはどうだろう？リーダーの育成に携わってきた経験から言うと、一般に、良い聞き手とは次の三つのことができる人だと考えられているようだ。

- 他の人が話している時に話さない。
- 表情や言葉で、話をきちんと聞いていることを相手にわかるようにする（「なるほど」「うん、うん」）。
- 人の言ったことを正確に繰り返すことができる（おそらく一字一句その通りに）。

実際、聞く技術に関する本を読むと、まさにこういうことが書かれている。人の話を聞く時はあまり口を挟まず、時々うなずいたり、「うん、うん」と相づちを打ったりして、たまに

「つまり、おっしゃっているのは、こういうことでしょうか……」といった確認を挟めばよい、というのが平均的なアドバイスだ。

しかし、私たちが最近行った研究では、それだけでは聞く技術を習得しているとはまったく言えないことがわかった。

聞き上手に共通する四つの特性

私たちの研究が対象としたのは、マネジャー教育プログラムに参加した三四九二人だ。彼らの行動記録と三六〇度評価によって、周囲の人から聞き上手だと認識されている人（上位五％）を特定した。次に、さまざまな能力について、その人たちとそれ以外の全員の平均値を比較し、最も大きな差が表れた二〇の項目を洗い出した。

以上から得られた結果をもとに、優れた聞き手と平均的な聞き手の違いはどこにあるのかを分析し、どんな行動をすれば優れた聞き手と見なされるのかを見極めたのである。

その結果、意外な発見と、当然そうだろうということの両方が確認できた。整理すると、聞き上手には次の四つの特性があることがわかった。

①聞き上手は、相手が話している間、ただ黙って聞いているだけではない

黙って聞くのではなく、発見と気づきを促す質問を発するのが聞き上手である。そのような質問は、話し手の思い込みに疑問を呈するかもしれないが、聞き上手はそれをマイルドに、建設的な方法で行う。黙ってうなずいているだけでは、相手は話を聞いてもらっているという確信が得られないが、適切な質問をすることで、もっと知りたいと思うほど深く理解しようとしてくれているのだと実感することができる。話し手から聞き手への一方通行の会話では、どんな人も良い聞き手にはなれない。最高の会話とは、常に能動的なものである。

②聞き上手は、話し手の自尊心を高めるようなやりとりができる

最高の聞き手は、会話そのものを話し手にとってポジティブな体験に高めることができる。受け身の姿勢で聞いていたら、そんなことはできない。批判的な姿勢ならなおさらだ。話し手に、自分はサポートしてもらっている、信頼してもらっていると感じさせるのが聞き上手である。安心して言いたいことが言えて、問題や相違点をオープンに議論できる環境を提供することは、聞き上手の条件だ。

③聞き上手は、協力的な会話ができる

会話を実り多いものにするために話し手と聞き手が協力するなら、フィードバックは双方の間を行き交い、どちらも相手の発言に対して身構えることがなくなる。対照的に、聞き上手ではない人は競争意識を前面に出し、相手の推論や論理の誤りを見つけようとする姿勢で聞くことが多い。自分が口を開いていない時は、次に何を言うかを考えている。このような態度では、優れたディベーターにはなれるかもしれないが、聞き上手にはなれない。疑問を差し挟んだり反対意見を述べたりしても、言い負かすためではなくサポートするためだということが話し手に伝わるのが、話し上手な人の特性である。

④聞き上手は、適切な提案をする

聞き上手は、相手が受け入れやすい方法でフィードバックを行い、考慮すべき別のポイントに目を開かせる。この発見は、私たちにとってやや意外だった。というのは、「あの人はこっちの話を聞かずに、自分の結論を押しつけてくる」といった不満を耳にすることが多いからだ。「聞き上手は適切な提案をする」という発見からわかることは、提案をすること自体が問題なのではなく、提案の仕方に問題があるということだ。あるいは、もともと聞き上手だと評価されている人からの提案なら、話し手が受け入れやすいということかもしれない。

いずれにせよ、会話中ずっと黙っていて、最後に提案や決定を押しつけるというやり方では、人に信頼されることはない。戦闘的または批判的と思われてしまえば、よかれと思ってアドバイスしても、信頼してはもらえない。

多くの人が、聞き上手とは相手の話を正確に吸収するスポンジのようなものだと考えている。しかし、私たちに言わせれば、聞き上手はトランポリンのようなものだ。話し手のアイデアやエネルギーを吸収するのではなく、増幅し、活気づけ、明確にしてくれるのが聞き上手である。単に受動的に吸収するのではなく、積極的にサポートして、話し手の気持ちを高める。トランポリンの上でジャンプする人のように、話し手は会話を通してエネルギーと高さを得られるのである。

「聞く能力」を向上させるための六つの要素

聞く能力にはさまざまな構成要素がある。すべての会話にすべての要素が必要なわけではないが、これらの要素を幅広く身につけて会話に臨むなら、どんな会話も実り多いものになる。以下の六つの要素のうち、どれを活かして「聞く能力」を向上させるのが効果的か、自分の「聞き方」を思い出しながら考えていただきたい。

①難しい問題、複雑な問題、感情的な問題でもオープンに話し合えるような、安全な環境をつくる。

②携帯やノートパソコンなど、注意を散漫にするものを遮断して、話し手に注意を集中し、適切なアイコンタクトを取る。それは話し手が聞き手に抱く印象をよくするだけでなく、聞き手自身の思考や感情にも良い影響を与える。演じることで内面が変わる。それがひい

ては優れた聞き手をつくるのだ。

③話し手が言っていることの本質を理解しようとする。話し手の考えを把握し、質問する。正しく理解できているかを確認するために、時々相手の言葉を自分の言葉で言い換えて、話し手に聞いてもらう。

④話し手の表情、熱意、息づかい、身振り手振り、姿勢、その他もろもろの非言語的ボディランゲージのサインを観察する。コミュニケーションの八〇%は、こうしたサインによって成り立っていると推定されている。奇妙な言い方かもしれないが、私たちは耳だけでなく目でも聞いているのだ。

⑤話し手が、いま話している事柄に対してどんな感情を抱いているか、どんな気分でいるかを理解し、思いを寄せる。批判や決めつけをせずに、話し手をサポートし、共感し、承認する。

⑥話し手に問いを投げかけ、その前提を明確にしたり、新しい角度から問題を見たりできるように手助けをする。そのため、聞き手に役立つと思えば、時には自分の意見や考えを差し挟むこともあるが、それを会話の中心に据えて会話全体を乗っ取ってしまうようなこと

はしない。

それぞれの要素は、他の要素とあいまって成立している。したがって、たとえば、人の話を聞かずに結論を押しつける（要素⑥）傾向のある人は、そこだけを反省するのではなく、たとえば注意を散漫にするものをそばに置かない（要素②）とか、話し手に共感する（要素⑤）といった、他の面からも改善に取り組むとよいだろう。

どうやら、聞き上手になりたいと考えている人は、やりすぎを避けようとするあまり、必要なことを控えてしまう傾向があるようだ。私たちの研究が、「人の話を聞く」スキルについて新たな視点を提供できれば嬉しく思う。自分は聞き上手だという勘違いのせいで、コミュニケーションで不要な苦労をしている人たちには、私たちの研究を参考にして、聞くスキルを正しく自己評価していただきたい。

聞き上手はスポンジのように相手の話を吸収するという、おなじみの認識は捨てよう。最高の聞き上手は、トランポリンが子どもにしてあげるような役割を果たす。聞き上手はエネルギーを与え、加速させ、高め、増幅させる。これが素晴らしいリスニングの品質証明である。

ジャック・ゼンガー（Jack Zenger）
リーダーシップ育成コンサルタント会社、ゼンガー・フォークマンCEO。

ジョセフ・フォークマン（Joseph Folkman）
ゼンガー・フォークマン社長。

二人の共著に「リーダーシップ・コンピテンシー強化法」（『DIAMONDハーバード・ビジネス・レビュー』二〇一二年二月号）、*Speed*（未訳）がある。

2

あなたが人の話を聞けない理由

エイミー・ジェン・ス
Amy Jen Su
ミュリエル・メニャン・ウィルキンス
Muriel Maignan Wilkins

"What Gets in the Way of Listening,"
HBR.ORG, April 14, 2014.

人の話を聞いているつもりでも、意識は自分に集中している

仕事上の役割や影響力が大きくなるほど、人の話を聞くスキルの必要性も増す。しかし、話を聞くというのは習得するのが難しいスキルの一つであり、それを身につけるためには、自分のなかにある、人の話を聞けなくしている障害物を発見する必要がある。

ジャネットのケースを紹介しよう。彼女は、経営コンサルティング会社のプリンシパルとして成功を収めている。最近、三六〇度評価の際に同僚から、聞くスキルを向上させる必要があるというフィードバックを受けた。

彼女は困惑してしまった。自分は積極的に耳を傾けていると思っていたからだ。その同僚に評価の理由を尋ねたところ、ジャネットは会議で質問された際、正確に答えないことがあり、他のメンバーの意見をきちんと理解できていないことがある、という答えが返ってきた。

ジャネットは、自分のどこに問題があるのかを探ることにした。「話を聞く」などというのは、ごく単純なことのようなのに、なぜ問題を指摘されてしまったのだろうか。

掘り下げていった結果、その原因は、ジャネットが自分にばかり意識を集中させていること

にあると判明した。そんな彼女が聞き上手になるために必要なことは、次の四つのポイントだった。

①自分のなかから聞こえてくる批判の声を無視する

ジャネットは、自分のパフォーマンスを気にするあまり、会話や会議での議論に集中できていないことに気づいた。どこか別のところから聞こえてくる声に気を奪われていた。別の声とは、自分が会議で上手に振る舞っているかを監視する、自分自身の声だった。

その傾向は、特にプレゼンテーションの時に顕著だった。うまく発表できているだろうかという不安のせいで、参加者からの質問の根底にある懸念や問題意識を把握できず、「質問に答えない」という評価につながるような受け答えしかできていなかったのだ。

この問題を克服するには、良い点数を取ろうとする意識を捨て、プレゼン本来の目的にシフトさせることが重要だ。何を言うためにプレゼンをしているのか、聞き手に伝えるべきことは何か——そのことに集中するのだ。

②リーダーとしての自分の役割を広くとらえる

よく聞くためには、まず、聞くことは自分の仕事の重要な部分であることを認識しなければならない。ボリス・グロイスバーグとマイケル・スリンドの論文「会話力が俊敏な組織をつくる」[注1]を引用して言えば、「組織内会話に真剣に取り組むリーダーは、自分の話をやめて聞き役に回るべきタイミングをわきまえている」ということだ。

ジャネットは、自分の役割を狭い枠にはめてしまっていた自分に気づいた。経営コンサルタントである彼女は、自分の役割は「クライアントに効果的なソリューションを提供すること」だと考えていた。彼女には、自分の役割を「問題解決の提供者」から「信頼される助言者」へとアップデートすることが必要だったのだ。

あなたも、自分の役割を狭い定義の枠のなかに押し込んでいないか考えてみよう。リーダーの仕事は指示を出すことだと思っていないだろうか。

③恐れや期待にとらわれない

よく聞くためには、いま、この場に意識を集中させ、目の前に置かれているテーマに対応する心の準備ができていなければならない。ところが、次に来るものを予想していると、集中して聞くことができなくなる。

ジャネットは、他の人が話している間、次に何を言おうかと考えていたり、次に相手が何を言うのか予測したりしている自分に気づいた。その傾向は、意見が対立しそうな時や、難しい話題の時に特に顕著であるように思えた。対立を恐れて、相手の話を聞かずに自分が言いたいことに飛びついていたのだ。

しかし、複数の利害や課題を調整しなくてはならない難しい会話であればあるほど、適切にリードするには相手の話を聞くスキルが重要になる。皆が熱くなっている論点は何なのか、どこかに誤解があるのではないか、といったことに細心の注意を払わなければならない。

不安や不快といった感情が人の話を聞く邪魔をすることを認識しておこう。あなたは、何が自分の感情の引き金を引いてしまうか、わかっているだろうか。

④考えを変えることを恐れず、変えたらそのことをオープンに伝える

ジャネットは、自信ありげに見せようと苦心している自分、とにかく自分の意見を印象づけ

ようと焦っている自分に気づいた。強く自己主張しようとして、生煮えのアイデアを断定口調で話すことも多かった。

ジャネットの同僚が、自分に役立っているというコツを教えてくれた。

「自分がこの場でいちばん頭がいいと思い込んだり、そう見せかけようとしたりしないことだ。実際、私の同僚も頭がいいからこそ、私とは違う意見なのかもしれない。私はそういう前提で話をする。自分の考えを通すためではなく、最善の考えを発見するために、みんなの意見を聞きたいと思っている」

つまり、「聞く」ということは、実は強い自信のあらわれなのだ。自分の自信を伝えようとしすぎるあまり、他の人の意見に耳を閉ざしていないだろうか。

＊　＊　＊

聞く技術を向上させるテクニックはいろいろあるが、本当の意味で改善するには、より深い内面的な問題に焦点を当てなければならない。

聞くというのは、相手に、主題に、意思決定に、自分を寄り添わせるためのスキルである。人の話を聞かずして、リーダーシップを発揮することはできない。

エイミー・ジェン・ス（Amy Jen Su）
エグゼクティブのコーチングとリーダーシップ育成を手がける、パラヴィス・パートナーズ共同創業者。

ミュリエル・メニャン・ウィルキンス（Muriel Maignan Wilkins）
パラヴィス・パートナーズ共同創業者。

3

人の話を聞く時の二つの心構え

ラルフ・G・ニコルス
Ralph G. Nichols
レオナード・A・スティーブンス
Leonard A. Stevens

"Listening to People,"
HBR, September 1957.

編集者注：ラルフ・G・ニコルスとレオナード・A・スティーブンスは、古典的価値を有するに至った一九五七年の共著論文“Listening to People”（未訳）において、なぜ聞くことがビジネス・コミュニケーションの主要な要素であるのか、なぜ多くの人が苦労するのかを論じた。本稿はこの論文からの抜粋である。人の話を理解するうえで感情がどのような影響を及ぼしているかを述べ、会話を実り豊かなものにする二つの方法を紹介している。

感情がフィルターとなり、話を聞く能力を左右する

私たちが話を聞く能力は、程度の差こそあれ、さまざまな方法で感情に影響されている。（注1）比喩的に言えば、私たちは聞きたくないことについては、心理的に耳をふさごうとする。逆に、聞きたかったことを誰かが言ってくれると、耳を大きく開き、話の内容が事実でも、嘘でも、その中間でも、気にすることなく受け入れてしまう。

感情は、聴覚のフィルターとして機能していると言えるかもしれない。ある時は、耳が聞こえなくなる原因となり、ある時は、耳を完全に開放してしまう。

心に根を降ろしている見解や偏見、確信、道徳、コンプレックスに反するようなものを聞くと、脳は過剰に刺激されてしまい、良いリスニングにつながりにくくなることがある。話を聞きながら心のなかで反論を組み立てたり、話し手を困らせるような質問を考えたり、あるいは単に、自分の心理を支えてくれる考えに意識を向けたりする。

たとえば、次のようなことだ。

会計担当者が社長のところに行き、「たったいま国税庁から通達があったのですが……」などと話し始める。社長は、思考を刺激されて、息づかいが荒くなる。「いまいましい役所だ。我が社をほうっておいてくれ。毎年、利益を搾り取ろうとする」

顔面は紅潮し、クラクラするような気分で窓の外を見つめる。「国税庁」という名前を聞いただけで、社長の耳は閉ざされてしまうのだった。

その間、経理担当者は、社長がいくつか簡単な手順を踏めば三〇〇〇ドル節約できるかもしれないことも報告をした。だが、興奮して頭から湯気を出している社長の耳には届かない。経理担当者が頑張って粘り強く話せば、その声は社長の耳には入るかもしれないが、内容が理解されることはないだろう。

逆に、話の内容が、心に深く根づいている考えを支えてくれるようなものだった場合、安易に聞き入れてしまうことになりかねない。自分の考えの一助となる話を耳にすると、心理的障壁が取り除かれ、話のすべてを受け入れてしまうのだ。

批判能力はそのような感情のせいで任務を放棄してしまう。思考力は低下する。感情を守ってくれる長年あたためている考えに他ならないからである。誰かが自分と同じ考えだと知るのは気持ちがよいことなので、検証することなく丸ごと受け入れてしまう。

このような感情のフィルターを適切にコントロールするには、どうすればよいのだろう。簡単ではないが、要するに、相手の話を最後まで完全に聞き切る、ということだ。そのために役立つのが次の二つの心がけである。

①評価をせずに聞く

これは学習全般において最も重要な原則の一つだが、話を聞いて学ぶ際には特に重要となる。

これには自制心が必要で、困難を覚える人も多いが、粘り強く練習することで貴重な習慣に変えることができる。耳を傾けている間、主な目的は、話し手が行った各ポイントを理解することである。判断や意思決定は、相手が話し終わるまで保留にしておこう。話が終わったら、その時初めて、相手の主な考えを振り返り、評価するのである。

②自分の考えを否定する証拠を探しながら聞く

人の話を聞く時、勝ち負けを競うような気分になって、自分が信じていることが正しいという証拠を探し始めるのが人間というものだ。自分が間違っていることを証明するために証拠を探すことなど、まず滅多にない。寛大な精神と視野の広さが必要であり、簡単なことではないからだ。

しかし、自分の考えにとって都合の悪い証拠に対しても意識を開いていくことは、話を聞く能力の重要な部分を占める。自分の正しさを補強するアイデアだけでなく、間違っていることを示すアイデアにも目を向けるという意識でいれば、相手が言っていることを聞き逃すおそれは少なくなる。

ラルフ・G・ニコルス（Ralph G. Nichols）
コミュニケーション問題研究家。元全米コミュニケーション研究協会会長。

レオナード・A・スティーブンス（Leonard A. Stevens）
フリーランスのライターでオーラル・プレゼンテーションのコンサルタント。ニューヨークのマネジメント・ディベロップメント・アソシエイツとも提携して活動。

二人の共著に『聞き方で成功する』（産業能率短期大学出版部）がある。

4

共感をもって話を聞く三つのステップ

クリスティーン・M・リアダン
Christine M. Riordan

"Three Ways Leaders Can Listen with More Empathy,"
HBR.ORG, January 16, 2014.

相手の立場や視点から話を理解しようとすることが大切

優れたリーダーシップには「聞く力」が重要だ。昨今、そのことを示す研究が続々と発表されている。それなのになぜ、聞くことに秀でたリーダーがこれほど少ないのだろう。

多くのリーダーが、人と話をする時、主導権を握ろうとしたり、話を都合よく導こうとしたりする。話しすぎたり、自説の擁護や反論のために何を言うかを気にしたりしていることも多い。拙速に反応したり、他のことに気を散らしたり、相手の話を聞かなかったりもする。常に競争モードだったり、メールやメッセージのやりとりをしながら話したり、強いエゴのせいで相手の話に耳を傾けることができないという傾向もうかがえる。

だが、リーダーは、他の人の話を気にかけることから出発する必要がある。研究によると、共感をもって話を聞くこと、すなわち相手の立場や視点から話を理解しようとすることは、最も効果的な聞き方だということがわかっている。(注1) かつてヘンリー・フォードは、人生で成功するための偉大な秘訣を一つ挙げるとすれば、それは相手の立場に立ち、自分の視点からだけでなく、相手の視点から物事を見る能力にあると言っている。

研究によると、共感をもって人の話に耳を傾けるためには、いくつかの行動セットが必要なことがわかっている。(注2)

①認識する

最初の行動セットには、相手の話を正しく「認識」するためのすべてが含まれる。言語化された内容だけでなく、口調や表情やボディランゲージなどの非言語的な発信も認識する必要がある。リーダーは聴覚だけでなく、あらゆる感覚で情報を受け取らなくてはならない。

敏感なリーダーは、相手が言ったことだけでなく、言わなかったことにも注意を払い、真意を深いところまで探る。相手の意見や考えだけでなく、感情も認識し、理解し、承認する。

実際の会話のなかで、この行動セットからは次のようなフレーズが発せられる。

「気持ちを伝えてくれてありがとう」
「みんながどう思っているかを理解しておくことが重要だ」
「考えをもう少し話してもらえますか?」
「乗り気のようだけれど、なぜなのかもう少し聞かせてください」

②処理する

共感をもって傾聴するための二つ目の行動セットは、インプットした情報の「処理」に関わるものである。聞くという行為から、誰もが自然に連想する行動がこのセットに含まれる。すなわち、メッセージの意味を理解し、会話のポイントの推移を正しく追いかけるということである。

効果的な処理ができるリーダーは、相手の発言を覚えていると伝えたり、同意できたことと不同意に終わった点を整理したり、要点を再確認したり、話し合った内容を広い文脈で言い換えたりする。

典型的なフレーズは以下のようなものだ。

「この会議で出た重要なポイントを整理しておくと……」

「合意できたのはこの点で、合意できなかったのはこの点です」

「次回の会議までに……の情報を集めてください」

「次はこうしようと思いますが、意見を聞かせてください」

③応答する

三番目の行動セットは、しっかり話を聞いたということを相手に保証し、コミュニケーションの継続を促すための「応答」だ。効果的な応答の方法としては、言葉に出して感謝する、明快な質問をする、言い換えることによって確認する、といったものがある。

非言語的な応答としては、表情、アイコンタクト、ボディランゲージなどが重要だ。その他には、うなずく、会話に完全に没頭する、確認や承認を伝える言葉を発する（「その点は素晴らしいですね」）などがある。

以上のように、人の話を上手に聞くためには、意識すべき側面がいくつかある。リーダーはそのことを理解し、すべての行動セットを適切に使い分ける必要がある。

共感しつつ話を聞くことができれば、話し手との間に信頼と敬意が生まれる。そうなれば、互いに感情（緊張感を含む）を表現しやすくなり、情報をオープンに共有でき、問題を解決するために協力することができる。

会話や会議の後の適切なフォローアップも、しっかり聞いたという事実を相手に理解してもらうための重要な手段となる。方法としては、たとえば、変更や修正を含むフィードバックを行う、会議で交わした約束を実行する、会議の内容をメモにまとめて共有する、ノートを使って会議をまとめる、といったことが考えられる。

リーダーが会議の流れと異なる決定をした場合、その理由をきちんと説明することも必要なフォローアップとなる。要するに、リーダーがメッセージを聞いたことを示す方法にはさまざまなものがあるということだ。

リーダーはただ聞くだけでは十分ではない。相手の立場や視点、状況や感情をも理解することに努めなくてはならない。つまり、共感をもって傾聴する能力と意欲こそがリーダーに求められる能力なのだ。

あるインタビューのなかで、IDEOのチーフ・クリエイティブ・オフィサーであるポール・ベネットは、リーダーにもっと部下の話を聞き、適切な質問をするようにとアドバイスしている。ベネットは次のように反省の弁を述べている。

「二〇代のほとんどの間、周囲の人たちは僕に興味があるんだろうと思っていた。僕が彼らに対して持っていた興味より大きな興味をね。なので、こちらから話してばかりいた。たいていは深い考えもなく、思いついたことを口にしていたわけだ。賢いところを見せてやろうとして、人の話を聞かず、何を話すかということばかり考えていた」(注3)

スピードを落とす、ひたすら議論するのをやめる、相手に共感をもって関わる、時間をかけて話を聞いて学ぶ、素晴らしい質問をする――そういうことの積み重ねが最終的にリーダーとしての成功につながるのだ。

クリスティーン・M・リアダン（Christine M. Riordan）
ニューヨーク州のアデルフィ大学学長。元ケンタッキー大学学長および経営学教授。専門はダイバーシティ、リーダーシップ、キャリア開発。

5

優れたリーダーになる秘訣は、「いま、ここにいる」ことである

ラスムス・フーガード
Rasmus Hougaard
ジャクリーン・カーター
Jacqueline Carter

"If You Aspire to Be a Great Leader, Be Present,"
HBR.ORG, December 13, 2017.

マインドフルな状態で「いる」よう心がける

数年前、私たちは、ある多国籍製薬会社の取締役と一緒に仕事をした。リーダーシップと部下との関わりという点において、彼の評価はいつも低かった。変わろうと努力しても、何も効果が出ないようだった。

次第にフラストレーションが高まり、彼は、直属の部下とどれだけの時間を過ごしているかの記録も取り始めた。そして、よくない評価を受けるたびに、そのデータを取り出して叫ぶのだった。「そうは言っても、一人ひとりとこんなに長い時間を過ごしているんですよ！」

事態が好転したのは、彼が毎日一〇分間のマインドフルネスのトレーニングをするようになってからだ。二〜三カ月すると部下は、彼が以前よりも関わりを持つようになってくれ、より仕事がしやすくなり、やる気を起こさせてくれると感じるようになった。

彼は結果に驚き、大喜びした。だが、もっと驚いたことがあった。部下と過ごした時間の記録表を取り出してみたところ、平均で二一%短くなっていたことがわかったのだ。

以前の彼とは、どこが違うのか。彼は実際に部下たちの前に「いた」のだ。

それまでは、誰かと同じ部屋にいても、必ずしもその人のためにいたわけではなかったことを、いまでは彼も理解している。他の活動に没頭していたり、別のことを考えたりしていたのだ。そして何より、誰かが話している時に彼が聞いていたのは、自分の「内なる声」だった。彼が心ここにあらずの状態だったため、部下は話を聞いてもらえていないという不満を抱いていた。

「内なる声」とは、いま経験していることに対する、自分自身のコメントである。たとえば、「いい加減、話すのをやめてほしい」とか、「彼女が次に何を言うか、わかっているぞ」とか、「前にも聞いた話だな」とか、「ジョーは私のメッセージに返事をくれたかな」といったつぶやきだ。

他の人と真に向き合い、有意義なつながりをつくるために、人は自分の内なる声を黙らせ、目の前の人に集中する必要がある。それには、よりマインドフルな状態で「いる」ことが役に立つ。

私たちの著書[注1]に向けた研究の一環として、私たちは、一〇〇〇人を超えるリーダーを対象に調査を行った。その結果、よりマインドフルな状態で「いる」ことが、部下と関わり、よりよいつながりをつくり、パフォーマンスを高めるための最適な戦略であることが示された。

このことは、他の研究でも実証されている。ベイン・アンド・カンパニーによる二〇〇〇人の従業員を対象とした調査では、リーダーとしての特性三三項目（説得力のある目標を創出すること、考えを明確に表現すること、インプットを受け入れられること、など）のうち、マインドフルな状態でいる能力（集中力とも言う）が最も肝心であることがわかった。[注2]

また、リーダーのマインドフルネスと、部下の幸福感とパフォーマンスとの間には、直接的な相関関係があることも研究から示唆されている。[注3] 言い換えれば、リーダーが部下のために「いる」ほど、部下のパフォーマンスは高まるのだ。

以下に、私たちの研究に基づき、日々を過ごすなかで「いま、ここにいる」のに役立つヒントと戦略をいくつか示そう。

「いま、ここにいる」とは

CEOの例に漏れず、マッキンゼー・アンド・カンパニーのグローバル・マネージング・ディレクターであるドミニク・バートンの毎日のスケジュールは、会議の連続だ。これらの会議はどれも重要で、どれも複雑な情報を擁し、ほとんどが広範囲に及ぶ意思決定を必要としている。

このような条件下で、どの会議でも、すべての瞬間にマインドフルな状態でいることは難題である。だが、バートンは経験から、マインドフルネスは単なる選択肢の一つではないと知っている。それは必須なのだ。彼はこう語った。

「私がその日、誰かと一緒に過ごしている時は、集中するよう最善を尽くし、マインドフルな状態でその人と過ごします。それは一つには、人と一緒にいることでエネルギーをもらうからです。でも、もう一つの理由は、集中していなければ、つまり上の空であれば、他の人たちをがっかりさせるからです。彼らはやる気を失います。心ここにあらずの状態ならば、会議に出ないほうがいいくらいです。実行が難しい時もありますが、常に重要なことです」

あなたの目の前にいる人は、ついさっきまであなたが何をしていたか知らないし、知る必要もない。会う人一人ひとりと過ごす限られた時間を有効に使うために、マインドフルな状態でいることは、あなたの責任なのだ。

マインドフルな状態でいるためには、自制心とスキルが必要であると、バートンは信じている。付きまとう難題に動じたり、心のなかのつぶやきに気が散ったりすることなく、課題に専念するには、自制心が必要だ。また、集中しマインドフルな状態でい続ける精神的な能力を持つには、スキルが必要である。

バートンは、一日を通じてマインドフルな状態でいられると、深い満足を感じるという。「いま、ここにいる」ことは、一人ひとりと過ごす時間から最大限のものを引き出すうえで、欠かせない。

「いま、ここにいる」ことを予定に組み込む

キャンベル・スープ・カンパニーの元CEOダグラス・コナントは、現役時代に社内のあらゆるレベルの人と物理的・精神的につながる儀式を編み出した。彼はそれを「タッチポイント」と呼んでいる。

コナントは毎朝、相当の時間を割いて工場内を歩き回り、従業員にあいさつし、彼らのことを知ろうと努めた。従業員の名前のみならず、その家族の名前も覚えようとした。彼らの生活に心から関心を抱いていたのだ。また、傑出した努力に感謝の意を表するため、手書きの手紙

もしたためた。そして、困難に直面している従業員には、個人的な励ましのメッセージも寄せた。彼は在任期間中に、このような手紙を三万通以上も送っている。

コナントにとって、これらの行為は、生産性を高めるための単なる戦略ではなかった。スタッフを支えるための、心からの努力であったのだ。

「いま、ここにいて」、アクションは起こさない

シスコのシニア・バイス・プレジデントであるガブリエル・トンプソンの下には、難題を抱えた従業員がやってくる。時に簡単な解決策を提示する必要もあるが、たいていは話を聞けばいい。「多くの場合、必要なのはアクションではなく、聞く耳です。持ち込まれるたいていの問題に、解決策は必要ありません。リーダーが時間をつくって、そこにいることが必要なのです」と彼女は言う。リーダーとして「いま、ここにいて」、オープンな気持ちで耳を傾けることが、最も強力なソリューションとなる。

リーダーとしてのあなたの役割は、単に、部下がフラストレーションを吐き出したり、問題を整理したりするための安心できる空間をつくり出すことだ。マインドフルな状態で存在する

ことで、あなたは入れ物となって、部下が問題を整理する空間を与える。

あなたが状況の解決や修正、操作、コントロールに踏み込む必要はない。あなたの存在そのものが、問題の解決に役立つのだ。このように「いる」ことで、問題を解決するのみならず、より深いつながりと関わりを築くことができる。

「いま、ここにいる」ことを身体で表現する

レゴ・グループの最高人材活用責任者ローレン・シャスターは、非常に重要な会議やプレゼンテーションがある前には、五分間かけて、自分の身体に「着地する」と言う。体内の細胞一つひとつが十分に活性化されるのを、ありありと思い浮かべるのだ。

「着地していないと、つまり、自分の身体や周囲の環境につながっていないと、方向や目標に対する強い感覚を持てません。フワフワと浮いているだけです。すると、ちょっとしたことで気が散ってしまいます。この着地テクニックは、雑念を払い、エネルギーを補給し、直感を強化し、感情を落ち着かせるのに役立っています」

この五分間トレーニングを終えると、歩き方も話し方も変わる。真剣さが増し、重みと力強

さが増す。その結果、精神的にも肉体的にもさらに充実して、周囲の人々との時間を過ごすことができる。その部屋に、岩のように着地させてくれるのだ。

私たちが「いま、ここにいること」を身体で表現すると、姿勢が変わる。背中を丸め、腕組みし、自らを文字通り閉じ込めるのではなく、もっとバランスよく、背筋を伸ばし、オープンで開放的な姿勢を取るようになる。腕組みせずに、正しい姿勢でまっすぐに座るようになる。

このような姿勢の変化は、私たちの考え方、行動の仕方、会話の仕方に影響を及ぼす。大胆な姿勢を取れば、自信のような資質を引き出せる。同様に、背筋を伸ばし、威厳に満ちた姿勢を取ることで、気づきや集中力、包容力、思いやりといった資質を引き出すことができるのである。

姿勢を正し、心を開くと、私たちの脳の化学にプラスの影響を与えることができる。それは、思考のプロセスがより高度に機能するための能力を培う。そして、高度な気づきがもたらす英知、より開かれた心がもたらす思いやり、背筋の伸びがもたらす自信を手に入れることができるのだ。

ラスムス・フーガード（Rasmus Hougaard）

グローバルなリーダーシップと組織の発展を支援する企業、ポテンシャル・プロジェクト創設者兼マネージング・ディレクター。クライアントには、マイクロソフト、アクセンチュア、シスコほか、数百の組織がある。

ジャクリーン・カーター（Jacqueline Carter）

ポテンシャル・プロジェクト パートナー兼北米ディレクター。

二人の共著に*One Second Ahead*' *The Mind of the Leader*（未訳）がある。

6

相手の心と口を開かせる聞き方とは

マーク・ゴールストン
Mark Goulston
サラ・グリーン・カーマイケル
Sarah Green Carmichael

"Become a Better Listener: An Interview with Mark Goulston by Sarah Green Carmichael,"
HBR IdeaCast(podcast), August 13,2015.

マーク・ゴールストンは著名な精神科医であり、著書に、成功する「聞き方」について論じた『最強交渉人が使っている一瞬で心を動かす技術』などがある。このインタビューでは、こちらが話を聞いていることをしっかり相手に感じさせ、心を開いて深い話をしてもらうためのコツを語ってもらった。

聞き方の四つのレベル

サラ・グリーン・カーマイケル（以下略）：人の話を上手に聞く方法を教えておられますが、「話を聞く」というのはどういうことなのか、基本的な考えを聞かせてください。

マーク・ゴールストン（以下略）：聞き方には四つのレベルがあり、これらは相互に関連し合っています。

第一のレベルが、「注意欠如リスニング」（removed listening）です。相手が何を話していても上の空、形ばかりの相づちを打つのが精一杯という聞き方を、私はこのように呼んでいま

6. Become a Better Listener: An Interview with Mark Goulston by Sarah Green Carmichael

す。聞き手はそこにいますが、心はそこにはありません。そのため、話は聞き手が介在しない一方的なものとなります。

マルチタスキングが習慣化している人は、誰か（たとえばパートナーや部下）が話しかけてきたら、パソコンから目を離して相手を見て、うなずいたり話をオウム返しにしたりしながら、それでも引き続きパソコンに注意を向け続けます。これが注意欠如リスニングです。

話し手をうまくあしらえたことに満足し、住み慣れた世界から外に出ないような聞き方と言えます。注意欠如リスニングは、相手の話を片道通行にしてしまうもので、相手に対する侮辱でもあります。

第二のレベルが、「反応型リスニング」（reactive listening）です。話の内容に関係なく、自分を守ろうとする意識を働かせてしまう聞き方です。話の内容は理解しているのですが、個人的に受け止めてしまうあまり、相手の話が自分を指差していると感じて動揺し、つい、このような聞き方になってしまうのです。

第三のレベルが、「応答的リスニング」（responsible listening）です。相手の話を受け止め、自己を投入して聞く、責任を持って聞く、というのが応答的なリスニングです。話は聞き手に対する語りかけとなります。幼い子どもが凍えそうになりながらドアをノックして部屋に入ってきた時、「雨が降ってるんだね。長い間外にいたんだね。ずぶ濡れじゃないか」と、震えている子どもに話しかけるリスニングです。

そして第四のレベルが、「受容的リスニング」(receptive listening)です。聞き方の四つのレベルにおいていちばん大事な聞き方です。これによって、話はついにお互いが語り聞く会話となり、聞き手は話し手と真につながることができます。雨に濡れた子どもが入ってきた時、「かわいそうに、身体の芯まで冷え切ってる。乾いた服に着替えて、ヒーターのそばに来なさい。早く暖まりなさい」と言ってあげるのが受容的リスニングです。言葉は必要ないぐらいです。応答的リスニングとの違いを、わかっていただけたでしょうか。

CEOの態度を一変させた「聞き方」

聞き手の態度によって、話し手は、自分の話が相手に届いているか、理解されているか、心に響いているか、という違いを感じ取ります。私が言いたいことはもうおわかりだと思います

6. Become a Better Listener: An Interview with Mark Goulston by Sarah Green Carmichael

が、話を聞くうえで大切なのは、話し手に、自分の話が聞き手の心に届いていると感じてもらうことです。次に、この点についてお話ししましょう。

いろいろな機会に話しているエピソードがあるのですが、ここでも披露させてください。ある会社のCEOとミーティングをしていた時のことです。私は彼からはっきりした考えを聞きたかったのですが、そう簡単なことではありませんでした。

彼はフットボールの選手のような立派な体格で、体重もゆうに一二〇キロは超えていそうです。たくさんのトロフィーを獲得したのではないでしょうか。ところが、彼は私と話すことにまったく気乗りしていない様子でした。

彼の眼中には、目の前に座っている私の存在などないかのようでした。怖いもの知らずの私は、こう言いました。「私とのミーティングは何分間の予定ですか」。会社に雇われている人にはできない言い方でしょうね、クビになってしまうかもしれません。

「なんだって?」というのが彼の反応でした。私はこう応じました。「ご自分のスケジュールを確認してください。あなたはこのミーティングを何時何分に終わらせるつもりですか」。出て行け、と言われるのを覚悟しましたよ。

彼から「二〇分」という答えが返ってきました。この状況をひっくり返すために使える時間は三〇秒だと、私にはわかっていました。

ともかく、私は彼の注意を引き寄せることはできたので、続けてこう言いました。

「私たちはここまで三分間話してきました。私たちが話し合おうとしているテーマは、あなたに集中して臨んでいただくだけの価値があると私は考えています。ところが、あなたは話に集中してくれません。他に気になることか、やらなくてはならないことがあるのでしょう。どうでしょう、今日のミーティングはここで終わりにしませんか。そうすれば、あなたは残りの一七分、気になっていることのために使えます。改めてミーティングの日時を設定しましょう。あるいは秘書の方に、あんな生意気で失礼な奴とのアポは入れるな、と言ってくれても結構です。とにかく、あなたの次の一七分を無駄にせず、気になっていることをやってください。私との用件は別の機会にやり直しましょう。きっと、そんな重大事でもないのでしょうから」

すると、彼は私のほうを見て、なんと涙ぐんだのです。それを見て、私は思わず心のなかで自問しました。『マーク、おまえはビジネスで人を泣かせたりしないと誓ったんじゃないの

6. Become a Better Listener: An Interview with Mark Goulston by Sarah Green Carmichael

か？　精神科医として、そういう進め方で大丈夫なのか？』

――劇的な展開ですね。

そうですね。本当にそう思います。それから彼は、私にこう言いました。

「私は仕事の場にプライベートなことは持ち込まない主義なんだ。あなたは私をたった三分しか知らないが、どうやら一〇年以上私を知っている人たちより、私のことを知ったようだ。実は今日、妻ががんの疑いで生検を受けている。思わしくない結果が出そうなんだ。だが、妻は私より強くてね。心配しなくていいから仕事に行くように言ってくれたんだ。だから私はここにいるが、本当はいないんだよ」

私の気持ちは、すぐに要求モードから共感モードに変わりました。

「そうだったのですか、そうとは知らず、失礼しました。奥さまのところに行ってあげてください。ここでこうしているより、病院に行くか、少なくとも電話をしてあげてください。どうぞ、本当に」

するとどうなったと思いますか？　彼は雨に濡れて家に帰ってきた大きなニューファンドランド犬のように、肩をすくめ、私の申し出を却下し、こう言ったのです。

「私は妻ほど強くないが、それほど弱くもない。戦場で戦ったことも二回ある。全神経をこのミーティングに向けるよ。私の二〇分を君にあげるから、好きなように使ってくれ」

この話の要点は何でしょうか。会話を通じて相手から何かを引き出そうとか、相手を理解しようと意識しないことです。誰の心のなかにも、恐れや緊張があり、共感してもらいたいという願いがある。それを忘れて、自分の都合を優先して相手から何かを引き出そうとすると、会話は暗礁に乗り上げます。人の話を聞く時に心がけるべきことは、ただ「自分の話が相手の心に届いている」と感じてもらうことなのです。

ＣＥＯは自分の話が相手の心に届いていると感じてくれました。彼は立派な会社のＣＥＯですが、孤独を感じ、妻によけいな負担をかけまいとしながら、私とミーティングをしていたのです。このやりとりの後、彼は私とのミーティングに集中してくれました。それどころか、それ以来、私たちは友だちになったのです。

6. Become a Better Listener: An Interview with Mark Goulston by Sarah Green Carmichael

相手の話を聞く時、注意すべきこと

——すごく興味深く、大切なお話です。人の話を聞く時、四つのレベルのそれぞれでできることはあっても、結局、こちらがしっかり聞いていると相手が感じてくれなければ何の効果もないということですね。では、どうすれば、聞いていると相手に感じてもらえるのでしょうか。

私は大手コンサルティング会社に対し、聞き上手になるためのトレーニングを行っていて、会話を提案の採用に結びつける方法を教えています。そこでいつも言っているのは、初めて見込み客、つまり潜在的クライアントと話す時は、相手にもう一度会いたいと思ってもらうことをゴールとすべきだということです。何かを売り込もうとすると失敗します。

見込み客との最初のミーティングでは、コンサルタントはいろいろ質問しながら話を聞くことになりますが、どこかで必ず相手から、「どう思いますか」と尋ねられます。そんな時に勧めたい方法があります。すべてのケースに当てはまる方法ではないので、この方法を使うかどうかは自分でよく考えてもらいたいと思いますが、私が推奨している方法は、相手からの最初の問いには決して答えない、というものです。

その質問に飛びついて自分の考えをとうとうと述べるのではなく、四つの点に注意しながらしばらくは聞き役に徹する、というのが、私の勧める方法です。四つの点とは、誇張表現、抑揚、副詞、形容詞です。

誇張表現では、多くの場合、話のなかに「とんでもない」「おそろしい」「素晴らしい」といった言葉が使われます。抑揚は声のトーンです。副詞と形容詞にも注意が必要です。副詞は動詞を装飾する方法です。「早く片づけてしまおう」というのは、「片づける」という動詞を「早く」という副詞で装飾しているわけです。形容詞は名詞を装飾する方法です。「素晴らしい機会だ」と言えば、「機会」という名詞を「素晴らしい」という形容詞で装飾している。

これら四つの点に気をつけて、相手が何を重視しているか、気にかけているかを察知する能力を高めてください。

誇張表現、抑揚、副詞、形容詞に意識を向けると、より深い会話に入っていける可能性が見えてきます。同じ話をする競合より、クライアントの懐に深く入り込める余地が出てくるでしょう。

6. Become a Better Listener: An Interview with Mark Goulston by Sarah Green Carmichael

自分の答えを言わずに相手に語らせる

相手がひとしきり何か話した後で、「どう思いますか」と尋ねてきたら、「私の考えを言わせてもらう前に、片づけてしまわなくてはならないことについて、詳しく話してください」とか、「その機会のどこが特に素晴らしいのか、お考えを詳しく話してください」などと、さらに尋ねるのがお勧めです。

対面で話している場合は、相手のボディランゲージにも気をつけることが大切です。重要な話では、相手の手の動きが増します。最初は下ろされていた手が、お腹の高さにまで上がってきます。

「もう少し詳しく聞かせてください」という促しに応えて相手が詳しく話してくれたら、さらにもう一歩踏み込むのに使える便利なフレーズがあります。「本当ですか？」「そうなんですか！」というフレーズです。

これを言うと、相手の手振りがさらに大きくなることに気づくはずです。「そうなんだよ、本当に素晴らしいんだ、だってこれによってすべてが変わって……」と、相手の話はさらに深いレベルに入っていくことでしょう。

目指すべきことは、心の目と耳を開いて、相手にもっともっと深いレベルの話をしてもらうことです。そうすれば、最低限必要な情報交換のレベルを超える会話になります。肯定的なものも否定的なものも含めて、相手が考えや思いをすべて吐き出せるよう、いわば手助けをするのが上手な聞き方なのです。

そこまで進んだ段階で、相手がなお、「あなたはどう思いますか」と聞いてきたら、それは本当に聞きたがっている証拠です。ここまできたら、私はこんなふうに言います。「私の考えは、ICU(集中治療室)を確認してからお話ししたいと思います」

これは私が医者だから思いついた言い方です。いきなりICUという言葉が出れば、相手はこう尋ねるはずです。「ICU? いま話していることと何の関係があるんですか?」

そこで私はおもむろに、こう言うわけです。「ICUのIは重要なこと(important)のIで、この先一、二年のテーマです。Cは重大(critical)のCで、三〜六カ月の課題。Uは緊急(urgent)のUで、今週やっつけてしまわなければならない問題です。いま私たちが取り組もうとしている問題にもIとCとUがあります。私の答えを申し上げる前に、あなたが認識するこの問題のIとCとUを聞かせてください」

こんなふうに話を進めることで、知る必要のあることをすべて語ってもらおうというわけです。こういう進め方に相手は戸惑うかもしれませんが、あなたは相手が問題に集中できるように助け、優先順位をつける機会を提供しているのです。あなたが集中したいのは、相手が緊急だと認識している問題です。

こういう進め方が必要な情報の収集につながるイメージをご理解いただけるでしょうか。このリクエストに応じた相手は、きっとこう言ってくるでしょう。「重要なこと、重大なこと、緊急なこと、すべて話しましたから、あなたの考えを聞かせてください」

それでも、私はあえてこう言います。

「あなたが認識している重要なこと、重大なこと、緊急なことがわかりました。いま、私が知り得た情報に基づいて、現段階でのベストアンサーを提供することはできますが、ABCの三段階で評価するなら、BかBプラスの答えでしかありません。確認のために一日か二日いただければ、もっとよい答えを提供することができるでしょう。要するに、あなたが話してくれたことがどれほど緊急か、それについての私のベストアンサーをあなたがどれほど知りたいと思っているかということなのです。どう思いますか?」

このような進め方で、あなたが潜在的クライアントにしてもらうべきことは、「最善の答えをできるだけ早くほしい」と言わせることです。ただし、相手に主導権を握らせるのです。

残念なことに、多くのコンサルタントは、自分が賢いことを証明しなくてはならないと感じて、主導権を握ろうとしてしまう。それでは、あらん限りの知恵を詰め込んだ話で相手を感心させることはできても、ふと相手が我に返り、心を閉じて会話を終わらせてしまうということが起こりがちです。

そういう進め方をしてしまう人は、矢継ぎ早に、「さて、次は何をしましょうか。ここまでで何か質問はありますか」などと言ってしまいますが、その時には、牛はもう柵から出て、どこかに行ってしまっていることでしょう。会話への外科的アプローチと言える方法ですが、この種の経験がある人なら、どんな場面か想像がつくのではないでしょうか。

――「聞く」ことについての話から始まって、とても興味深い内容に発展しました。インタビューを始める前は、良い聞き手になるためには自分の感情を抑え、集中力を妨げるものを意識から遠ざけて、とにかく相手の話を聞くことが大事なのだろうと思っていました。
でも、お話を聞いているうちに、相手にいかに話してもらうか、頭のなかにあったけれど人に話すつもりはなかった情報をいかにシェアしてもらうかが大切なのだということがわかりました。

その通りです。カギは、何がＩＣＵ、すなわち重要で、重大で、緊急なのかを、相手に話してもらうことです。いま私たちは、買いたいけれど売りつけられたくない、という世界に住んでいますからね。私たちが話を聞いている相手は、誰からも説得されたくないし、誰かを説得したいとも思っていない人なのです。

マーク・ゴールストン（Mark Goulston）

精神科医。医学博士、米国心理学学会フェロー、エグゼクティブアドバイザー、基調講演者。ゴールストン・グループ創設CEO。著書に『身近にいる「やっかいな人」から身を守る方法』（あさ出版）、『最強交渉人が使っている一瞬で心を動かす技術』（ディスカヴァー・トゥエンティワン）、共著に『リアル・インフルエンス：YESを引き出す16の戦略』（ダイレクト出版）などがある。

サラ・グリーン・カーマイケル（Sarah Green Carmichael）

元『ハーバード・ビジネス・レビュー』（HBR）エグゼクティブエディター。

6. Become a Better Listener: An Interview with Mark Goulston by Sarah Green Carmichael

7

相手の考えを変えたければ、自分が話すより、まず聞こう

ニロファー・マーチャント
Nilofer Merchant

"To Change Someone's Mind, Stop Talking and Listen."

HBR.ORG, February 06, 2018.

部族に伝わる忌まわしい伝統をどうやって変えたか

パキスタンのフェミニストにして人類学者で映像作家でもあるサマール・ミナラー・カーンは、激しい怒りを覚えていた。地元部族の指導者たちが、男性の犯した罪の代償として、その家族の娘を売買していたからである。

部族のリーダーたちは、村でのもめ事を解決する役割を担う「裁判官」役だった。そして重大な犯罪があると、加害者一族の娘を被害者一族に差し出して解決するのが長年の習慣だった。罪を犯した父なり叔父なりは、それで自由の身になるとされ、「問題は解決した」と村中が納得させられていた。

サマールは、「スワラ」と呼ばれるこの風習を忌まわしいものだと思った。何の罪もない少女の人生を永久に変えてしまうのだから。ただ、サマールは怒ってはいたが、怒りに任せて行動しても望ましい成果は得られないだろうと考えた。

そこで、別の手に出ることにした。まず、自分が話すよりも相手の話を聞くことを優先した。彼女は男性の宗教的指導者が、スワラの適用方法とそのメリットを説明するのを聞いたうえで、この習慣を預言者ムハンマドならどう考えるだろうかと尋ねた。また、この方法で罪を許された父親や叔父たちの話も聞いた。このようにさまざまな話を聞き、非常に多くのことを学んだおかげで、一見すると埋めがたい溝を埋めることに成功した。

サマールは当初、この方法で罪を許された父親らは、娘が代わりに苦しむことを何とも思っていないのだろうと考えていたが、話を聞くとそうではないことがわかった。彼らも、異なる解決策を望んでいたのだ。

次に、部族の指導者たちからは、伝統を徹底して重んじていると聞いた。さらにイスラム教の法学者からは、スワラは一種の「使用者責任」であって、イスラム教では禁じられていることも聞いた。そして最後に、昔も何か争いがあると、娘を相手側の家族に差し出すことで解決していたことを聞き出した。ただし、娘はずっと相手側にいるのではなく、贈り物をもらって親の家に送り返されていた。サマールはこうした話をすべて動画に収録した。

これらの動画をサマールは地域の人々と見て、伝統とその意味について、一人ひとりと語り合った。部族の指導者たちは一つひとつ、それまで真の正義と考えられていた風習を変えていった。スワラの代わりに賠償金を支払ってもよいことにしたのである。サマールは自分の考えを主張するのではなく、全員がともに新しい考えに至るような方法を取ることで、変化をもたらしたのである。

サマールは、相手に意見を聞かせてくれと頼んだのであって、自分の考えで相手を説得したのではない。まるで映画の脚本のようで、ビジネスリーダーへの実用的なアドバイスになるとは思えないかもしれない。しかし、実はビジネスリーダーはここから学ぶべきなのだ。

先に質問リストを準備しておくことで、耳を傾ける余裕をつくる

私は先日、あるひどい（けれども、ありがちな）会議に出席していて、いささかうらやむような気持ちでサマールのことを思い出していた。一人のリーダーがとりわけ優秀な部下を三〇人集め、彼の言う「マーケティング・ギャップ」について意見を聞きたいということで始まった会議だった。

だが会議の形式を見れば、彼には話を聞く気など、あまりないことは明らかだった。プレゼンテーションが三時間、質疑応答は全部で約一五分しかなかったのだ（それもプレゼンが時間

を超過しなければ、の話である)。

会議が終わる頃には、このリーダーがやりたかったのは話を聞くことではなく、集まった三〇人に自分の意見を納得させ、彼の手先となって「マーケティング・ギャップ」を正すことなのだと感じていた。会議の形式のせいもあって、結局のところ、まったく納得できないままだった。

このアプローチは、さほど効果がないにもかかわらず、よく使われている。組織のなかであれ、政治的な討論であれ、夕食の席での家族会議の場であれ、一方のグループが他方に心変わりを迫る場面での常套(じょうとう)手段だ。相手を説き伏せるようなカギとなるアイデアを見つけよ、説得力ある事実を探せ、熱く語れ、相手の事実をこちらの事実でたたき返せ、というわけだ。

これは、永続的な変化を生み出す方法ではない。人の考えを変える最善の方法は、自分が持っている答えを語ることではなく、ともに同じ答えに到達することである。「自分のアイデア」を「全員のアイデア」に変える重要な手段は、話を聞くことなのだ。聞くことで、アイデアには必要な修正がなされる。聞くことで、アイデアに対する責任感が共有され、それがあって初めて、アイデアは実現できるのである。

大きな決定を下したり、重要問題を討議する会議に出席したりする場合は、私がイノベーションとリーダーシップのワークショップを開く際に下準備として行っている、次の習慣を試してみてほしい。

インデックスカードかメモ用紙（紙ナプキンでもいい）を見つけよう。表側には、参加者にとって有益となる可能性のある主要なアイデアを書く。「可能性のある」と断っているのは、より深く学んだ後で、アイデアを修正することになるからだ。そして裏側には、会議でしたい質問と知りたい事柄を思いつくまま書き留めておく。

たとえば、二〇一七年にウィーンで開催されたグローバル・ピーター・ドラッカー・フォーラムで、私はマーケティング界の先達ジョン・ヘーゲル3世やジュリア・カービー、イノベーションの権威ハル・グレガーセンとともに、「イノベーションを生む力」をテーマに企業幹部たちとのセッションに臨んだ。セッション開始前、私はインデックスカードの裏にいくつかの質問をメモした。

・このエグゼクティブたちはなぜ、私たちのセッションに参加しているのか。動機は何か。

- 参加者たちの会社で「イノベーションを生む力」をめぐる根本的な問題は何か。具体的にはどんな問題なのか。
- 参加者たちは、アイデアは豊富にあると思っているのか。それとも、アイデアが多すぎると思っているのか。あるいは、質が低いと思っているのか。
- 参加者たちにとって、イノベーションの問題点はアイデアの選択にあるのか、市場との結びつきにあるのか。実行に移せないことが問題なのか、それとも、何か別のところに問題があるのか。
- 「イノベーション」を特定の文脈ではなく、一般的な言葉で議論できるか。それは有益な議論になるのか。
- 参加者たちはいま、イノベーションについて誰の話に、あるいは、どのようなアイデアに耳を傾けているか。何が足りないのか。あるいは、なぜそのアイデアはうまくいっていないのか。

最終的にすべての質問をすることはなかったが、書き留めておいたことで、私には相手の動機、ニーズ、感情に関心を持って話を聞く用意ができていた。質問のリストをつくっておけば、実際に話されている内容にしっかりと耳を傾ける態勢がつくれるだろう。

たいていの人は、相手の話をしっかり聞いていない。ほとんどの場合、相手の話を聞くのは、賛成か反対か判断できるところまでに限られる。あるいは、どう言い返せばよいか準備するために聞いているにすぎず、何かを学ぶためではない。しかし、これでは相手の話を聞くというより、自分が話す番を待っているにすぎない。

人の話を聞くとは、注意を払うということである。話を聞くとは、いったん自らの関心事から離れて、より多くを知ろうと思うこと、そして、他人の関心事がどんなものかに思いをいたすことである。単に言葉を聞くだけでなく、潜在的なニーズや見解に注意を払うことなのだ。

このことから、人がなぜ、なかなか優れた聞き手になれないのかもわかる。私たちは、聞く側に回ると、自分のアイデアや、それがなぜ重要かを語れなくなるのが不安なのだ。聞いているだけでは、自分の信念を放棄しているかのように思えてしまうのである。

だが、もっと自分を信頼したほうがいい。そして、相手も信頼しよう。

ニロファー・マーチャント（Nilofer Merchant）

著述家。これまでに一〇〇を超える製品を立ち上げ、その総売上げは一八〇億ドルを超す。公的機関および民間企業の役員を務め、スタンフォード大学で教壇に立つほか、世界中で講演をしている。「世界で最も影響力のある経営思想家トップ五〇人」（Thinkers 50）にも選出されている。最近刊は『ＯＮＬＹＮＥＳＳ：組織も肩書もいらない人生をつくる』（大和書房）。

08

感情的にこじれた会話を元に戻す方法

ロン・フリードマン
Ron Friedman

"Defusing an Emotionally Charged Conversation with a Colleague,"
HBR.ORG, January 12, 2016.

二つのチャンネルが入り乱れると、情緒的に不安定になる

相手がどんな人でも、長く一緒に仕事をしていれば、意見の相違や感情的な行き違いが生じることは避けられない。ほとんどの場合は友好的に解決できるが、うまくいかないこともある。よほどの賢人か聖人なら別だが、誰でも一度や二度、何を議論していたのかも忘れるほど感情的になってしまったことがあるのではないだろうか。

会話が制御不能に陥ってしまったら、どうすればいいだろう？　こちらは我慢して相手の言い分を聞いているのに、相手がテコでも自分の考えを変えようとしない時は、どうすればいいだろう？　議論を本来の道筋に戻すには、どうすればいいだろう？

医師であるアンソニー・サッチマンは、その答えを探すことにキャリアのかなりの部分を献げてきた。学識豊かで人間的にも魅力的な彼は、三〇年以上にわたって人間関係のダイナミクスを研究し、その結果を世界有数の医学雑誌で何度か発表している。(注1)

サッチマンによると、あらゆる職場で交わされる会話は二つのレベルで進行する。「タスクチャンネル」と「関係チャンネル」の二つだ。時々この二つが入り乱れることがある。意見の

相違が激しくなって協力関係が崩れてしまうのはそんな時だ。

どういうことか説明しよう。あなたと私は一緒に、あるプロジェクトに取り組んでいる。途中で、次にやるべきことの方法をめぐって意見が分かれる。たとえば、私はプレゼンのためにパワーポイントを使うべきだと考えているのに対し、あなたはパワーポイントを使うのは逆効果だと考えている、といった状況だ。

私があなたの考えに異を唱えた時、単なる見解の相違と受け止めたあなたは、「ロンは違う意見なんだな」と言って、合意するために会話を続けるだろう（タスクチャンネル）。

ところが、一緒に仕事をするのが初めての場合や、過去に何度か衝突したことがある場合は、あなたは私の提案を深読みして、私たちの関係について憶測し始めるかもしれない。たとえば、自分のことを信頼していない、軽視している、あるいは競い合って勝とうとしている、といったことである（関係チャンネル）。

このようにタスクチャンネルが関係チャンネルに侵食された瞬間に、仕事上の意見の相違が両者の関係を損ないかねない事態へとエスカレートする。その加熱の速さは驚くほどだ。

神経学的に言えば、サッチマンが説明していることとは、「恐怖反応が活性化された状態」である。危険を察知すると、脳の視床下部からの信号で、血液中にアドレナリンとコルチゾールが分泌される。それは「闘争か逃走か」の反応を誘発して、身体を熱くさせてしまい、集中力や創造的思考力が働く余地を奪ってしまうのである。こうなると私たちは、周りが見えない視野狭窄（きょうさく）状態に陥る。

人間の進化の過程で、恐怖に対して身体が自動的に反応してくれるのは好都合であった。それは迫り来る捕食者から身を守り、種として繁殖するために生き続けるのに役立った。しかし、生死に関わるような状況がなくなった現代の職場においては、そのようなままならない恐怖反応は、人と協力して仕事をする能力を妨げてしまうことがある。これが、我知らず感情が高ぶってしまい、相手の意見に耳を傾けるのが難しくなる理由である。

二つのチャンネルを切り離す会話の知恵「ＰＥＡＲＬＳ」

サッチマンは、このような情緒的に不安定な状況を鎮めるためには、まずタスク「遂行」チャンネルと関係「維持」チャンネルを切り離すことが必要だと考えている。「意見が一致しない時、それはたいてい、相手からのフィードバックを個人的な攻撃だと誤解しているからです」と彼は指摘する。そうなると、「私のアイデアに賛同した人は私のことを気に入ってくれたのだろう、とか、私の意見に賛成してくれない人は私が嫌いなのに違いない、などという話になってしまいます。タスク遂行チャンネルに大きな負荷がかかり、建設的な意見をオープンに交わすことができなくなってしまうのです」。

私たちのメンタルの容量は限られている、とサッチマンは指摘する。つまり私たちは、タスクチャンネルか関係チャンネルのいずれかに意識を合わせることはできても、両方同時に集中することはできないということだ。二つのチャンネルが入り乱れると、建設的な共同作業を進める能力が損なわれてしまうのである。

そこで、意見の相違による緊張を緩和するための一つの方法は、意図的に関係チャンネルに意識を集中させ、相手との関係維持に注力することである。この方法なら、議論していることが何であっても混乱する心配はない。一時的にタスク遂行のことを意識から外し、関係維持に焦点を当てることで、仕事からパーソナルなものを切り離すのである。

サッチマンは、関係を維持して会話を建設的にするのに役立ついくつかのフレーズを紹介している。各フレーズの狙いを表す言葉の頭文字をつなげて、この会話の知恵を「PEARLS」（真珠）と名づけている。

- **連帯**（Partnership）
「この仕事には、あなたと一緒に取り組みたい」
「一緒にやれば、きっと解決できるよ」
- **共感**（Empathy）
「あなたの話を聞いていると、やる気が感じられる」
「よかったら、心配な点を聞かせてくれませんか」
- **承認**（Acknowledgement）
「ずいぶん頑張りましたね」
「苦労が報われましたね」
- **敬意**（Respect）

「あなたの創造性にはいつも感心させられる」
「これについては、きっとよくご存じでしょう」

- **正当化**（Legitimation）

「これは誰にとっても難しい」
「こんな状況で心配せずにいられる人はいませんよ」

- **支援**（Support）

「そのことだったら手伝いましょうか」
「君にはぜひやり遂げてもらいたい」

関係を構築する言葉づかいは、最初はぎこちなく感じることがある。特に、あまり人を褒めたことがない人はそう感じることが多い。私も職場の会話でこれを使い始めた時はそうだった。その際、覚えておくとよいことは、最初は控えめにして、自分の気持ちを正直に反映している言葉だけを伝えるということだ。

タイミングよくPEARLSを使うことができれば、会話の雰囲気が劇的に変わることに気づくだろう。組織上どんなに偉い人でも、感情に振り回される脳のせいで立ち往生してしまうことはある。恐れが会話の中に入り込んでしまうと、最高の仕事をすることはできない。だからこそ、意見が食い違っても関係が損なわれることはないという確信を保つことが効果を発揮するのだ。

関係維持のためのフレーズの価値は、職場のなかだけにとどまるものではない。同僚に対して有効であるように、パートナー、子ども、友だちに対しても同様に効果を発揮してくれる。理由は簡単で、相手の心のニーズに気を配ることは、交流の質を向上させるからに他ならない。議論が熱を帯びれば帯びるほど、関係維持のためのフレーズの重要性が高まる。

ロン・フリードマン（Ron Friedman）
心理学者。リーダーの職場改善を支援するイグナイト80創設者。著書に『最高の仕事ができる幸せな職場』（日経ＢＰ）がある。

9

部下の話に耳を傾けるだけで、自発的な改善が促される

ガイ・イツチャコフ
Guy Itzchakov
アブラハム・N・クルーガー
Avraham N. (Avi) Kluger

"The Power of Listening in Helping People Change,"
HBR.ORG, May 17, 2018.

フィードバックが時に逆効果となってしまう理由

マネジャーが部下の学習と成長を促すうえで、「業績評価を本人に伝える（フィードバックする）」ことは最も一般的な方法の一つである。ところが、この方法はむしろパフォーマンスを阻害する場合があることも、研究によって判明している。

本稿の筆者の一人クルーガーは、二〇年以上前に、フィードバックがもたらす効果に関する実験六〇七件を分析したところ、三八％のケースでパフォーマンスの低下を招いていることを発見した。(注1) これは評価内容が肯定的か否定的かに関係なく、主に「そのフィードバックによって対象者の自己認識が脅かされる」場合に起きていた。

フィードバックの提供（たとえ肯定的なものでも）がしばしば逆効果に働く理由の一つは、「監督して判断を下すのは、上司だ」ということを示唆するからだ。それによって、部下はストレスを感じて防御的になる場合があり、そうなれば他者の視点を受け入れにくくなる。

たとえば、部下は否定的な評価への対処として、評価者や評価そのものを重要ではないと見なすかもしれない。自尊心を回復すべく、評価を下した人物を避ける形で人脈を再編すること

さえある。言い換えれば、評価者への態度を頑なにすることで、自己を守ろうとするのだ。[注2]

そこで私たちは、もっとさりげない介入、つまり質問をしたり話を聞いたりすることで、この問題を防げないかを検証したいと考えた。

フィードバックとは、部下に「あなたは変わらなければならない」と伝えることだ。しかし、部下の話に耳を傾けて問いかければ、彼ら自身に「変わりたい」と思わせることができるかもしれない。最近の論文で我々は、質の高い傾聴――注意深く、共感しながら、判断をせずに聞くことが、話し手の感情と態度を前向きにさせる、ということを一貫して実証している。[注3]

たとえば、私たちはある室内実験で、一一二人の学部生を話し手と聞き手に振り分け、二人一組で向かい合って座らせた。話し手には、「最低所得保障（ベーシックインカム）案」あるいは「全大学生に対するボランティア活動の義務化」に関する意見を一〇分間語ってもらう。聞き手には、「自分が最高の状態にあるつもりで話を聞く」ように指示する。

そのうえで、聞き手の半数には携帯電話にテキストメッセージを無作為に送ってわざと気を散らし（「最近いちばんいらいらした出来事は？」など）、簡単に返信するよう指示した（そうすることで、聞き手の注意が逸れていることが話し手に伝わる）。

このセッションの後、話し手に次の質問をした。自分が相手にどう思われているかが心配だったか。話している間に、何か洞察を得られたか。自分が語った意見に自信があるか。

その結果、優れた聞き手（気を散らされなかった聞き手）と組んだ話し手は、より不安感が低く、自己認識力が高く、与えられたテーマに対して明確な態度を示すことがわかった。また、気を散らされた聞き手と組んだ話し手に比べて、自分の考えを相手と共有したいと答える傾向が強かった。

質の高い傾聴のもう一つのメリットは、話し手に議論の二面性（私たちはこれを「考え方の幅」と呼んでいる）に気づいてもらう一助になることだ。私たちは別の論文で、次の研究結果を報告している。優れた聞き手と対話した話し手は、より幅広い、かつ極端ではない考え方を示した。つまり、偏っていないということだ。[注4]

別の室内実験で、ビジネススクールの学部生一一四人に、将来のマネジャーとしての適性について一二分間話してもらった。まず、彼らを無作為に三つの聞き手グループ（良い、普通、悪い）と組み合わせる。「良い聞き手」のグループは聞く訓練を受けた人たちで、マネジメントコーチの有資格者か、またはソーシャルワーカーとしての訓練を受けた学生だ。私たちは彼らに、問いかけやリフレクティング（相手の言葉をよく受け止め、考え、返す）など、傾聴のあらゆる技術を駆使するようにお願いした。

「普通の聞き手」のグループは、普段通りに話を聞くよう指示されたビジネススクールの学部生である。「悪い聞き手」のグループは、気が散っているふりをするように指示された、演劇学部の学生だ（よそ見をする、スマートフォンをいじっている、など）。

三種類の聞き手のいずれかと会話した話し手に、その後、自分のマネジャーとしての適性はどのくらいかを示してもらった。その回答に基づき、彼らの考え方の幅（自身のマネジャーとしての能力に影響を及ぼしうる、強みと弱みの両方を認識しているかどうか）と、偏り（どちらか一面だけをとらえていないか）を分析した。

すると、良い聞き手と対話した話し手は、他の条件の話し手よりも、強みと弱みの両面を自覚していることがわかった。悪い聞き手と会話した人は、主に自分の強みについて語った一方で、弱みをほとんど認識していなかった。興味深いことに、悪い聞き手と会話した話し手は、自分はマネジャー職に適任だと回答する傾向が、平均して最も高かった。

私たちはこうした室内実験の結果の妥当性を、三つのフィールド実験で検証した。対象は市役所の職員、ハイテク企業の社員、教師（合計一八〇人）である。[注5] 参加者には、同僚や上司について、あるいは職場での有意義な経験について話してもらった。ただし、その前と後に、「リスニングサークル」への参加を求めた。

リスニングサークルでは、参加者は職場での有意義な経験などの話題について、心を開いて正直に話すように促される。そして、聞く時には口を挟まずに耳を傾けるよう訓練を受け、一度に話すのは一人だけにするよう教えられる。

この結果、室内実験での発見がすべて再現された。すなわち、リスニングサークルに参加した人々は、対照群としてサークルに参加しなかった（聞く訓練を受けなかった）グループに比べ、さまざまな仕事上の話題（マネジャーに対する態度など）について社会関係上の不安が低く、考え方の幅が広く、偏りが少なかったのだ。

これらが示唆するのは、従業員は話を聞いてもらうことで、いっそうリラックスし、自身の強みと弱みを認識し、防御的にならずに内省するということだ。これにより、他の従業員に（対立的ではなく）より協力的な態度になる。自分の考え方を他者と共有したいという思いを強めつつ、しかし他者を説き伏せようとはせず、異なる意見にもよりオープンであろうとするからだ。

業績評価に話を戻そう。もちろん私たちは、フィードバックをやめて、ただ傾聴すべきだと主張しているわけではない。それより、まずは自身の体験を語る部下の言葉に耳を傾けることで、彼らは心理的安全性を感じて身構えなくなり、フィードバックがもっと生産的になるだろうということだ。(注6)

傾聴を阻む要因

話をよく聞くマネジャーは、(タスク志向ではなく)人間志向のリーダーと見なされ、より高度の信頼を醸成し、従業員の職務満足度とチームの創造性を高める。(注7)これらについては論拠があり、私たちの研究結果はこれを裏づけるものだ。

しかし、傾聴がそれほど従業員と組織のためになるのであれば、なぜ職場でもっと普及しないのだろうか。ほとんどの従業員はなぜ、望み通りの形で話を聞いてもらえないのだろうか。

研究によって、傾聴をしばしば妨げるいくつかの要因が明らかになっている。

①権力喪失への恐れ

私たちの研究によれば、一部のマネジャーは、部下の話に耳を傾ければ、自分たちが見くびられるのではないかと感じる場合がある。(注8) 一方、優れた聞き手になれば、敬意を得られることが明らかになっている。したがってマネジャーは、威嚇(いかく)によるステータスの維持と、尊敬によるステータスの獲得との狭間で、折り合いをつけなければならないようだ。

②傾聴は時間と努力を要する

多くの場合、マネジャーが部下の話を聞く際には、時間的制約に追われているか、あるいは他の考え事や仕事に気を取られている。つまり、傾聴することは投資的判断なのだ。マネジャーは将来のメリットを得るために、話を聞くだけの時間を割かなければならない。

③変化への恐れ

質の高い傾聴は、判断を下さずに話し手の考え方を受け入れる必要があるため、リスクを伴う。この過程で、聞き手の態度や考え方が変わるかもしれないからだ。私たちはマネジャーに傾聴の訓練を施すなかで、彼らが部下について重要な洞察を得る場面を何度も目撃した。長年一緒に働いてきた従業員の人生をほとんど知らなかったことにマネジャーたちは気づき、愕然とするのだ。

たとえば複数のマネジャーは、欠勤が問題になっていた部下の話を聞いたところ、家族（末期がんの妻や精神障害のある兄弟など）のサポートで苦労していたことを知った。この気づきは、マネジャー自身の姿勢やものの見方を脅かす。これは認知的不協和と呼ばれる、時に不快にもなる体験を引き起こす場合があるのだ。

優れた聞き手になるためのヒント

傾聴することは、筋肉を鍛えることと似ている。訓練、忍耐、努力、それに最も重要なこととして、優れた聞き手になろうとする強い意志が必要だ。内外の雑念を頭から追い出さなければならない。それができなければ、気を散らさずに真剣に話を聞けるようになるまで、会話を先延ばしすべきだ。
以下に最善の方法をいくつか挙げよう。

一〇〇%の注意を払うか、話を聞くのをやめるか、どちらかにする

スマートフォン、iPad、ノートパソコンをしまい、話し手を見よう。相手が自分を見ていなくても、である。通常の会話では、話し手は時おり聞き手を見て、相手が聞いているかどうかを確かめる。頻繁にアイコンタクトをすることで、話し手は自分が傾聴されていると実感できるのだ。

話を遮らない

話し手が一通り話を終えたと意思表示するまで、口を挟みたい気持ちを抑えよう。私たちのワークショップでは、マネジャーに次のような指示を与えている。

「職場で、話を聞くのが非常に難しいと思われる相手を選びましょう。そして彼らに伝えるのです。自分は傾聴について学び、練習している最中であること。だから今日は、数分間(三分、

五分、あるいは一〇分でもいいから）ただ話を聞きたい。その時間が終了するまで、または翌日まで、返事をしない、と」

マネジャーはしばしば、この試みによる新しい発見に驚く。ある人は、「通常なら一時間以上かかるであろうやりとりが、わずか六分間で終わった」と述べた。また、別のマネジャーは「ある女性は、私に一八年間も言えずにいたことを打ち明けてくれた」と語った。

判断や評価を下さない

結論を急いだり、聞いた内容を解釈したりせずに、ただ話を聞こう。判断を下したくなるかもしれないが、その考えを脇に押しやるのだ。自分が脳裏で判断を下していたせいで会話の道筋を見失ったら、気が散っていたことを相手に詫び、もう一度言ってほしいと頼もう。聞いているふりをしてはいけない。

自分の解決策を押しつけない

聞き手の役割は、話し手が自身で解決策を編み出せるように手助けすることだ。したがって、同僚や部下の話を聞く時は、解決策を示すのを慎もう。自分が良い解決策を持っていて、それを共有したい衝動に駆られたら、こんなふうに問いかけよう。「たとえば、○○を選んでみたら、どうなると思う?」

より多くの質問、より良い質問をする

聞き手は、話し手のためになる質問をすることで、会話の流れを導くことができる。[注9] 上手に話を聞くには、話し手が最も助力を必要としていることは何かを考慮し、彼らがその答えを見出せるような問いを投げかける必要がある。話し手自身に、考えや経験を深く掘り下げてもらうような質問をしよう。

質問をする前に、次のように自問してほしい。「この問いかけは、話し手のためになるものだろうか、それとも、自分の好奇心を満たすためのものだろうか」と。もちろん両方があってもよいが、優れた聞き手は相手のニーズを優先する。最良の質問の一つは、「他に何かありますか」だ。この質問がしばしば、新たな情報と予想外の機会を引き出す。

振り返りをする

会話を終えたら、自分の聞き方を振り返ろう。逃した好機——手がかりになりえた言葉を無視してしまったことや、質問せずに黙ってしまったことなど——について考えるのだ。素晴らしい聞き手になれたと感じた時には、何を得たのか、その聞き方をもっと困難な状況にどう応用できるかを考えるとよい。

ガイ・イッチャコフ（Guy Itzchakov）
イスラエルにあるオノ・アカデミック・カレッジ講師（経営管理学）。エルサレム・ヘブライ大学で二〇一七年に博士号を取得。カール・ロジャーズの理論をもとに、注意深く中立的な傾聴によって、話し手の感情と認知の機会を広げる方法について研究している。『パーソナリティ・アンド・ソーシャルサイコロジー・ブレティン』『ヨーロピアン・ジャーナル・オブ・ワーク・アンド・オーガニゼイショナル・サイコロジー』『ジャーナル・オブ・エクスペリメンタル・ソーシャル・サイコロジー』に論文を寄稿。

アブラハム・N・クルーガー（Avraham N. (Avi) Kluger）
エルサレム・ヘブライ大学ビジネススクール教授（組織行動学）。二〇年以上にわたり、業績評価のフィードバックが及ぼす悪影響について研究を重ねている。傾聴に関して継続中のメタアナリシスでは、優れた聞き手はパフォーマンスが高く、優秀なリーダーと見なされることを明らかにしている。

聞く力は何によって高まるのか

自己変革の手段としての傾聴は、一九五二年に心理学者カール・ロジャーズらによって『ハーバード・ビジネス・レビュー』(HBR)上で提唱された。(注10)

ロジャーズは、聞き手が共感的で配慮があり、また批判的ではないと感じられた時、話し手はリラックスし、聞き手にどう思われるかを心配することなく、内面の感情や思考を共有できることを提示した。

この安全な状態によって、話し手は自分の意識をより深く掘り下げ、自分自身についての新たな洞察を得ることができる――たとえこれまでの信念や認識に対峙する可能性があっても。

たとえば、同僚や顧客の気持ちを常に尊重していると信じている従業員のことを考えてみよう。もし誰かから、これは真実ではないと指摘された場合、おそらく彼女は、自分の信念を強化し、相手の判断を割り引くことで、自分を守ろうとするだろう。

反対に、誰かが彼女に職場での他の人とのやりとりを何らかの形で残すよう促し、時に詳しく話すよう励ましながら注意深く耳を傾けたなら、彼女はその環境を安全なものに感じ、他の方法で心

9. The Power of Listening in Helping People Change

を開く可能性がある。

たとえば、顧客に失礼な振る舞いをしてしまったことや、同僚につい怒ってしまったことを彼女は覚えているかもしれないし、それらに対処するための議論にオープンになるかもしれない。

10

悩める同僚からの相談が殺到した時の対処法

サンドラ・L・ロビンソン
Sandra L. Robinson
キーラ・シャブラム
Kira Schabram

"When You're the Person Your Colleagues Always Vent To,"
HBR.ORG, November 30, 2016.

職場の潤滑油となる貴重な存在「ヒーリング・リーダー」

ディヴァニ（仮名）は大手通信会社のシニアアナリストだ。自分のことを部署の「専属チアリーダー」だと考えている。「いつも誰かが私の助けを求めてやってきます。……けっこう人の話を聞くほうだから。聞くのは性に合っているし、人助けが好きなんです」

だが、そんなふうに私に話してくれた前年、ディヴァニの組織は大きく変わろうとしていた。「それでなくても私はすでに多くのことを抱えていたのに、多くの同僚が組織の問題で私のところに相談にやってきました。慰めの言葉やアドバイスを求められました。締切のある仕事を抱えているのに、それをこなしながら人助けをするのは大変でした。ストレスにつぶされ、燃え尽きそうになってしまったのです」

ディヴァニは日曜の夜になると気分が落ち込み、怒りと冷笑的な気持ちが湧き上がった。そんな思いを振り払うことができず、眠れなくなった。四年間禁煙していたが、またタバコを吸い始め、習慣にしていた運動もやめてしまった。

ディヴァニはまさしく、組織行動学のピーター・フロストとサンドラ・ロビンソン（本稿の筆者の一人）が「ヒーリング・リーダー」[注1]と呼ぶ存在である。組織には喜びや満足だけでなく、悲しみもフラストレーションも、苦渋も怒りもある。そんな負の感情を自ら進んで引き受ける人のことだ。ヒーリング・リーダーは、組織のあらゆるレベル、特に異質なグループにまたがる役割のなかに存在する。その役割を担うのは管理職とは限らない。称賛されることはないが、困難で重要な働きだ。

組織では人と人が衝突したり、もめたりすることは避けられないが、ヒーリング・リーダーは組織をポジティブで生産的な状態に保つ。他人の秘密を守り、人間関係のこじれを解きほぐし、痛みを和らげるために見えないところで働き、難しいメッセージを建設的な言葉に翻訳して人々に伝える。そんな働きを通じて、ヒーリング・リーダーは職場で日々生じるネガティブな感情を吸収し、誰もが建設的な仕事に集中できるように心を砕くのである。

それは容易な仕事ではない。フロストとサンドラが七〇人以上のヒーリング・リーダー（またはそのマネジャー）を対象に行った調査で明らかになったように、この役割を担っている人たちは、耐え難いほどのストレスや緊張を頻繁に経験している。それは身体の健康やキャリアに影響を与えるほどで、長期的には人を助ける能力そのものも低下していくことが少なくない。

しかし、ヒーリング・リーダー自身が、自分がしている仕事の価値と負担を正しく認識できれば、自分の感情面の能力を正しく評価でき、疲れ果ててつぶれてしまわないうちに過度の緊張状態に気づくことができるだろう。

まず、自分がヒーリング・リーダーであるかどうか、どうすればわかるだろう。以下に自己診断に使える質問を挙げておこう。

- あなたの組織には、変化、機能不全、社内政治が多く見受けられるか？
- あなたは異なるグループや異なるレベルにまたがる役割を担っているか？
- 同僚の話を聞いたり、アドバイスをしたりすることに多くの時間を費やしているか？
- 同僚から、悩みや感情、秘密、職場の問題を打ち明けられることがあるか？
- 同僚に「ノー」と言えないことがあるか？　特に、困っている同僚から何かを頼まれた時に断れないことはないか？
- 他の人が傷つかないように、見えないところで調整をしたり、意思決定に働きかけたりすることがあるか？

・問題社員とそれ以外の人の関係を取り持とうとする傾向があるか?
・自分の助けを必要としている人がいたら、何とかしてあげようと思うタイプか?
・自分のことをカウンセラー、調停者、ピースメーカーだと思うか?

以上の問いに対し、四つ以上「イエス」と答えた人はヒーリング・リーダーかもしれない。だとしたらどうすればよいか? その方法を論じる前に、まず、この役割にはプラスとマイナスの両方があることを認識しておくことが必要だ。

ヒーリング・リーダーに過剰な負担がのしかかっていないか

喜ばしいプラス面としては、ヒーリング・リーダーであるということは、あなたには感情面で貴重な強みがあるということだ。あなたはおそらく人の話を聞くのが上手だ。共感する能力がある。問題を生む側ではなく、解決策を提案する側にいることも確かだろう。あなたの周囲の人は、あなたが提供してくれるサポートに価値を認めている。あなたが果たしている役割は、困難な状況を打開し、機能不全を軽減するものなので、組織にとっても戦略的な重要性がある。

だが悪い面もある。あなたは正式な職務記述書に書かれている以上の仕事を引き受けている可能性がある。実際、隠れたヒーローとしての努力と献身にふさわしい承認を、組織から正式には受けていないことも多い。人の話を聞いたり、仲介したり、他人を守るために背後で動くことは、他の仕事に向けなくてはならない貴重な時間をあなたから奪ってしまうことになりかねない。

もっと重大なことは、ヒーリング・リーダーであることは、話を聞いたり、慰めたり、カウンセリングをしたりするために、とてつもない感情のエネルギーを必要とするということだ。訓練を受けたセラピストなら別だが、そうでなければ、他人の痛みを引き受けたことの代償を水面下で支払っているのかもしれない。

サンドラの研究では、ヒーリング・リーダーは他者の感情を受け止める傾向がある一方で、それを吐き出す術を知らないことが多い。いつも人助けをしている人にありがちだが、自分自身のために必要な助けを求めていないかもしれない。ところが、この役割は当人のアイデンティティの一部になっていて、しかも充実感があるので、なかなかそこから離れがたいという問題がある。

ここでシェン・リー（仮名）のことを考えてみよう。彼の上司は素晴らしい実績を持つ職場のスターだったが、多くの混乱を引き起こす困った存在でもあった。上司はチームの誰とも個人的に接する時間を取ろうとせず、特に経験の浅いスタッフなどのことは完全に無視していた。

また、目立たないように仕事を進めて、いきなり立派な結果を出すというやり方が好みのようで、それも何かと問題を引き起こした。シェン・リーは、「私の役割は、チームを守り、安心させ、目標に集中させ、上司が際限なくもたらす緊張感を緩和することになっていきました」と語る。

「私は伝えるべきメッセージを苦労して整え、上司に再考を促し、上司の決定がもたらす明白な失敗を避けようと右往左往しなくてはなりませんでした。業績不振の時は上司とチームの間を取り持ったりもしました。いつも必死に立ち泳ぎをしているような気分でした。そのうちに、上司が引き起こす痛みからチームを守れているかどうかもわからなくなりました。チームのことが気がかりで寝不足になり、体重が落ち、体調を崩し始めました。

そのせいかどうかはわかりませんが、人生においても本当につらい時期を過ごす羽目になりました。職場のことで頭がいっぱいで、他のことに手がつけられなくなってしまったのです」

シェン・リーとディヴァニの話が、人ごとだと思えない人は、どうすれば自分の身を守りながら同僚（そして組織）を助け続けることができるだろう？　長続きする方法で重要な役割を果たし続けるにはどうすればいいのだろう？

まずは、その役割が本当に負担になっているかどうかを評価することから始めよう。ヒーリング・リーダーのなかには、無理なく人よりも多くのことを引き受けられる人もいるので、どこまでなら大丈夫かを正しく見きわめることが必要だ。

不眠、肩こり、顎関節の痛み、動悸、倦怠感など、過度の緊張や燃え尽きの徴候がないか注意して自分を観察しよう。いらいらして短気になったり、集中できなくなったりしていないだろうか？　自分では気づかないこともあるので、周りの人に何か変化を感じないか尋ねてみるのもいいだろう。

その結果、ストレスからくる問題がないようなら、引き続き自分を観察すること以外、特に何も変える必要はない。負荷がかかり、ダメージを受けていることがわかった場合にのみ、ヒーリング・リーダーとしてのスタイルを「修正」する必要がある。以下に、そのような場合の修正方法を紹介しよう。

意識してストレスを減らすための七つのコツ

ストレス解消につながることが確実な、王道の方法をまず活用しよう。瞑想、運動、十分な睡眠、健康的な食事などがそれに当たる。ヒーリング・リーダーは、自分のためだけに何かをすることができないという傾向があるので、自分の面倒を見ることが同僚を助けることにつながるという事実を意識するとよいだろう。瞑想やヨガの練習は、あなたが助けたいと願っている同僚のためにもなるのだ。

①「戦う場所」を選ぶ

あらゆる問題に感情的に引きずられてしまうと、自分が最も影響力を発揮できるのはどこかがわからなくなってしまう。自分の働きで状況を効果的に変えられるのはどこかを考えて行動する習慣をつけよう。あなたの助けがなくても大丈夫そうなのは誰か？ あなたが最善の努力をしても、何も変えられない領域はどこか？　それがわかったら、そこからは離れることにしよう。

②「ノー」と言うことを学ぶ

やりたいと思ったことを断るのは難しいが、これは重要なことである。人助けの姿勢を失うことなく「ノー」と言う方法を紹介しよう。

- 共感を伝える。相手の痛みを共有していることを明確に伝えよう。相手が訴えている悩みや感情は、無理もない正当なものだと伝える。
- 自分は現在十分に手助けできる状況や立場にないことを伝える。なぜそうなのかという理由については、差し支えのない自然な範囲で説明すればよいだろう。
- 助けになる別の人や情報源を提供する。組織のなかに、助けてくれる人や、同じようなことで困った経験のある人を紹介する（同じ悩みを持っている人を引き合わせることができれば、互いに助け合うことができる）。雑誌の記事や本、その他の役に立ちそうな情報源を紹介する（対立を解消する方法や社内政治についての本などが考えられる）。または、相談してきた人に自力で解決できる能力があるとわかっている場合は、自分で乗り越えるように励ますだけでもよいだろう。

③罪悪感を捨てる

困っている人に手を差し伸べなかったことに罪悪感を覚えた時は、次のように考えるとよいだろう。

- 対立や衝突は、多くの場合、直接の当事者による解決がいちばん優れた解決である。毎回救いの手を差し伸べていたら、当事者が自分で問題を解決するスキルやツールを開発する機会を奪うことにもなりかねない。
- 助けを提供できる人間は本当に自分しかいないのか、考えてみよう。組織内の信頼できる他の人たちにも声をかけて、一緒に考えてもらおう。一人で抱え込んでいた負担を軽減する方法が見つかるかもしれない。

・自分にできることは限られていることを忘れないでいよう。新たにもう一人の人に「イエス」と言うことは、いま関わっている人に割く時間や労力を減らすことでもある。

④コミュニティをつくる

自分だけで抱え込まず、他のヒーリング・リーダーを探してサポートしてもらおう。あなた以外にも、上司がばらまく有害物資を処理して歩いている人が職場にいるかもしれないし、見わたせば他の部署にいるかもしれない。また、友だちにあなた自身のうっぷんやストレスを聞いてもらったり、もう少し正式な形で、同じ問題を感じている人と定期的に集まって話し合う場を設けたりするのもいいだろう。

この方法は、チームや組織の全体が混乱していて、自分以外にも同じ問題を感じている人がいることがはっきりしている場合には特に有効だ。創造的な問題解決やアドバイスに焦点を絞って話をすることで、単なる愚痴や慰め合いに終わってしまわないよう気をつけよう。

⑤休息を確保する

ほんのちょっとした息抜きで事足りるかもしれないし、本格的なペース変更が必要かもしれない。状況と必要に応じた休息を自分のために確保しよう。ディヴァニの場合、開けていたオフィスのドアを閉じて、自分の本来の仕事に集中した。そんなふうにしたのは初めてのことだった。

「助けを必要としている同僚を見捨ててしまったようで、割り切るのが怖かったことは事実です。でも、人助けにかまけて、本来の業務がおろそかになったら元も子もないと考えることにしたんです」と彼女は説明した。自分のメンタルヘルスのために仕事を一日だけ休むのもいいし、しっかりと休暇を取る算段をするのもいいだろう。

もっと本格的な対処としては、自分の職務を一時的に変更することを検討してもよい。複数のチームやグループの間に立って仲介や調整をするという仕事は、現在の職務や立場に起因しているかもしれないからだ。そこからしばし離れることができれば、必要な休息を取れる可能性も高くなるはずだ。

ただし、いつまでも休息を取り続ける必要はない。「状況が落ち着いてきたので、お悩み相談係の仕事を再開しました」とディヴァニは言う。「ただし、いまは自分自身も環境も、無理をしなくても十分にこなせる状態です」

⑥自分の環境を変える

何をやっても事態が好転しない場合は、仕事を辞めるのが最善の選択かもしれない。シェン・リーの話からも、そのことがよくわかる。

「ひどい状態が二年ほども続いた頃、妻のすすめもあってセラピストのところに相談にいきました。話を聞いてもらっているうちに、このままでは状況は何も変わらないことに気づきました。有害マネジャーはどこにも異動することはなく、私はやがてストレスに押しつぶされてしまうとわかったのです。

状況を改善するためにいろいろなことをしましたが、結局いちばん役に立ったのは、長い目で見た時の自分の幸福のために職を変えたことでした。それが最高の決断だったと思います」

⑦セラピーを受ける

そこまでする必要があるのかと思う人がいるかもしれないが、シェン・リーもセラピストに相談したことは非常に有益だったと認めている。知識と経験のある心理学者は、あなたが燃え尽きかけていないか診断したうえで、ストレスを管理し、「ノー」と言う方法を気づかせ、罪悪感を克服することを助けてくれる。

セラピストに相談することは、ヒーリング・リーダーであるがゆえの感情のアップダウンから身を守るために役立つだけでなく、上手なヒーリング・リーダーになるうえでも役に立つ。というのも、臨床心理士は、感情的に取り込まれることなくクライアントの話に共感的に耳を傾ける訓練を受けているからだ。そのセラピーを受けるうちに、あなた自身、感情的な負担を背負うことなく人助けができるスキルをいつの間にか身につけられるということだ。

しないほうがよいこと、期待するほどの効果がないこと

さて、ここまでは、改善のためにやるとよいことを述べてきた。最後に、しないほうがよいことを二つ挙げておこう。一見すると有効な解決策のように思えるかもしれないが、残念ながら期待するほどの効果はない。

ただのガス抜き

感情を吐露するのは悪いことではない。カタルシスとなって被害を和らげる効果がある。だが、ガス抜きもやりすぎるとストレスのレベルを高めてしまう。あなたが望んでいることは、ああでもないこうでもないと問題について思い悩むことではなく、状況を改善して前に進むことのはずだからだ。

それは、あなたのところにやってくる人にとっても同じことで、相談された時に、ただのガス抜きに終始してしまったのでは助けることにならない。話をしっかり聞いたうえで、「よくわかりました。どうすれば状況を改善できるか、いっしょに考えましょう」と対応することが必要である。

上司や人事部に相談する

悲しいことに、ヒーリング・リーダーが果たしている役割には途方もない価値があるにもかかわらず、組織のなかであまり知られておらず、評価もされていない。つまり、たとえ上司に理解があり、あなたを助けたいと思ってくれたとしても、そうすることは上司自身にとってリスクが高い可能性があるということだ。そもそも、ヒーリング・リーダーに代わって問題となっている状況に組織的に介入するような文化は、ほとんどの企業に存在しない。

＊　＊　＊

最後に改めて言っておきたいことは、ヒーリング・リーダーは、組織とそのなかにいる人々が感情面で健全さを保つうえで非情に重要だということだ。もしあなたがヒーリング・リーダーなら、しっかりとその役割を果たすために、身心の疲労の兆候をモニターし、場合によっては、自分を守るためにその役割から離れる方法を知っておくことが必要である。

サンドラ・L・ロビンソン（Sandra L. Robinson）
ブリティッシュ・コロンビア大学サウダー・スクール・オブ・ビジネス教授（組織行動学）。

キーラ・シャブラム（Kira Schabram）
ワシントン大学フォスター・スクール・オブ・ビジネス教授（組織行動学）。

自分を責める心の声と折り合いをつける

ピーター・ブレグマン
Peter Bregman

"Managing the Critical Voices Inside Your Head,"

HBR.ORG, April 06, 2015.

厳しいコーチと優しいコーチ

朝八時二〇分、一二歳になる私の娘イザベラは、スキー・グループの集合場所に急いでいた。すでに二〇分ほど遅れていて、ストレスを感じていた。娘はスキーに真剣に取り組んでいて、数日後のレースに備えた練習に向かっていたのだ。

競技センターの近くで、彼女はコーチの一人であるジョーイと出くわした。彼は顔を見るなり、時計で時間を確認すると、しかめっ面でたしなめた。

「もし今日がレース当日だったら、家に帰れと言うところだが」

彼の言葉が胸に刺さり、娘の目から涙がこぼれ落ちた。

しばらくして、彼女は別のコーチであるビッキーに迎えられた。ビッキーはイザベラが落ち込んでいることに気づいてこう言った。

「ハニー、心配しなくて大丈夫よ。今日は試合じゃないんだし。ちょっと遅れてるけど、山の上でみんなに追いつけるわよ」

二人のコーチが、同じ事態に対して示した異なる対応――。ここまで読んだあなたは、きっと、どちらが正しい対応だろうと考え始めているのではないだろうか。だが、この話で私が伝えたいポイントはそこではない。

私は娘にこうアドバイスした。

きみはこれからの人生で、上司や、同僚や、友人と出会う。そのなかにはジョーイのような人もいれば、ビッキーのような人もいる。だから、何か言われるたびに動揺して心のバランスを失うことがないよう、二通りの反応に慣れておくべきだ。人がきみに何を言うかはコントロールできないが、きみがそれをどう受け止め、どう対応するかはコントロールできる。

娘へのアドバイスはここまでだが、さらにもう一歩踏み込んでみよう。まず事実として、私たちは皆、自分のなかにジョーイとビッキーを持っている。そして、二人とも役に立ってくれている。

ジョーイは不親切なように見えるが、彼の高い期待と失敗を許さない姿勢のおかげで、もっと成長しようと努力することができる。

一方、私たちには共感してサポートしてくれる人も必要だ。ビッキーの対応は子どもを甘やかしすぎだと感じる人もいるだろうが、彼女が与えてくれる慰めと安心感は、特にストレスのかかった状況では助けになる。

したがって、自分は誰の話を聞くべきか、いつ聞くべきかを、戦略的かつ意図的に選択することが重要になる。目の前にいる誰かが話す内容だけでなく、頭のなかで自分が自分に向けて話すことについても、その選択が問われることになる。

いや、むしろ頭のなかの声こそ、そのような聞き分けが重要だと言える。なぜなら、内なる声は、外からの声より巧妙に意識に働きかけるからだ。

ジョーイなり、誰か嫌な奴が言ったことなら気にしないことにするのはそれほど難しくないが、内なる声の場合は簡単ではない。他でもない、あなた自身の言葉だからである。

そこで、こんな方法をおすすめしたい。頭のなかで声が聞こえてきたら、その声の主に名前を与え、そのパーソナリティを思い描くのだ。話の流れから、ここではもちろん一人はジョーイ、もう一人はビッキーということになる。

頭のなかの自分の声も、耳から入ってくる人の声も同じだ。ほとんどの人は、ほとんどの場合、何か言われればとりあえず信じようとする。それは頭のなかの声でも同じだ。あなたの内なる声が、あなたは怠惰だと言ったら、それを否定するのは難しい。だが、そう言っているのはジョーイだと想像すれば、多少は否定しやすくなるというものだ。

頭のなかの声が何か言ってきたら、即座に正しいかどうかを判断しなくてはならない、という衝動に抵抗しよう。そんな判断はできないし、判断することに意味もない。あなたは怠惰か？　もちろん怠惰な時もあるだろう。だが、怠惰でない時もあるはずだ。つまり、怠惰だという声が正しいか正しくないかという問いには、意味がないのだ。

必要なのは、怠惰な性格を改めたいという、あなたが願う結果に意識を向けることであり、「この声はそのための役に立つか」を問うべきなのである。

実際にジョーイやビッキーが何か言ってきた場合でも、同じことを問うべきだ。この声は、いまこの瞬間に、私にとって有用か。その声を聞いて成長に必要なモチベーションが上がるなら耳を傾け、そうでないなら聞く必要はない。

批判の声にさらされた時、そこに含まれる有益な部分は受け止めつつ、破壊的効果の部分は無視するという能力は、とても役に立つスキルだ。受け止めた部分は、きっと別の場面で役に立つだろう。

目指すべきは、異なる声を柔軟に聞き分けるということである。身の回りにも、頭のなかにも、多様な声を届けてくれるグループを形成しよう。そして、いま話しているのは誰か、さらには、その声に耳を傾けるべきか無視すべきかを意識しながら話を聞く習慣をつけよう。

複数の声と折り合いをつけることは、マネジャーにとってはなおさら重要なスキルとなる。状況に応じて、ジョーイにもビッキーにもなる必要があるからだ。

ある時は、部下に対する高い期待と、それに達しなかった時の不満を伝える必要がある。別の時には、やさしさと共感を伝える必要もある。どちらか一方だけに偏ってしまったら、マネジャーの仕事はできない。立ち止まって、いまは何が必要かを判断し、どちらかを選び取るようにしよう。

＊　＊　＊

さて、もう一度、娘との話に戻る。

「二通りの反応に慣れておくべきだ。人がきみに何を言うかはコントロールできないが、きみがそれをどう受け止め、どう対応するかはコントロールできる」という私のアドバイスを聞いて、イザベラはこう反応した。

「それ、難しいんだけど。ジョーイは嫌な奴だと思うのをやめるのも、遅刻した自分はだめな奴だと思うのも、どっちも難しい」

「ジョーイは嫌な奴かもしれないし、きみはだめな奴かもしれない」と私は父親の顔をして言った。「でも、それはもう問題じゃないんだ。大事なのは、彼がそう言ったことで、明日、遅れずに集合できる可能性が高まるかどうかが問題なんだ」

「まあ、ああ言われたら、明日は遅れないと思うけど」と娘は同意した。「でも、本当に嫌な気持ちになった」

「でもその時、ビッキーが声をかけてくれただろう?」

「うん」と娘は笑顔で答えた。

「じゃあ、コーチが二人いて、よかったじゃないか」

時には、両方の声が完璧な組み合わせになることもある。

ピーター・ブレグマン（Peter Bregman）

ブレグマン・パートナーズCEO。各界のリーダーたちに、個人的成長、効果的なチーム構築、組織としての成果向上を実現するための支援を行っている。著書にベストセラーとなった『最高の人生と仕事をつかむ18分の法則』（日本経済新聞出版）、*Leading with Emotional Courage*（未訳）などがある。「ブレグマン・リーダーシップ・ポッドキャスト」のホストを務める。

Handlerは直訳すると「毒物取扱者」となるが、この論文の文意から「ヒーリング・リーダー」と訳出された。

A Historical Review, a Meta-Analysis, and a Preliminary Feedback Intervention Theory," *Psychological Bulletin* 119, no. 2 (1996): 254–284.

2) Paul Green Jr., Francesca Gino, Bradley Staats, "Shopping for Confirmation: How Disconfirming Feedback Shapes Social Networks," working paper 18-028, Harvard Business School, 2017.

3) Guy Itzchakov et al., "The Listener Sets the Tone: High-Quality Listening Increases Attitude Clarity and Behavior-Intention Consequences," *Personality and Social Psychology Bulletin* 44,no. 5 (2018): 762–778.

4) Guy Itzchakov, Avraham N. Kluger, Dotan R. Castro, "I Am Aware of My Inconsistencies but Can Tolerate Them: The Effect of High-Quality Listening on Speakers' Attitude Ambivalence," *Personality and Social Psychology Bulletin* 43, no. 1 (2016):105-120.

5) Liora Lipetz, Avraham N. Kluger, and Graham D. Bodie, "Listening Is Listening Is Listening: Employees' Percepion of Listening as a Holistic Phenomenon," *International Journal of Listening* (2018):1-26.

6) Marie-Hélène Budworth, Gary P. Latham, Laxmikant Manroop, "Looking Forward to Performance Improvement: A Field Test of the Feedforward Interview for Performance Management," *Human Resource Management* 54, no. 1 (2015): 45–54.

7) Avraham N. Kluger and Keren Zaidel, "Are Listeners Perceived as Leaders?" *International Journal of Listening* 27, no. 2 (2013): 73–84; Mary Stine, Teresa Thompson, and Louis Cusella, "The Impact of Organizational Structure and Supervisory Listening Indicators on Subordinate Support, Trust, Intrinsic Motivation, and Performance," *International Journal of Listening* 9, 1995, no. 1 (2012): 84–105; V. Tellis-Nayak, "A Person-Centered Workplace: The Foundation for Person-Centered Caregiving in Long-Term Care," *Journal of the American Medical Directors Association* 8, no. 2 (2007): 46–54; and Dotan R. Castro et al., "Mere-Listening Effect on Creativity and the Mediating Role of Psychological Safety," *Psychology of Aesthetics*, Creativity and the Arts, May 17, 2018.

8) Anat Hurwitz and Avraham N. Kluger, "The Power of Listeners: How Listeners Transform Status and Co-Create Power," *Academy of Management Proceedings* 2017, no. 1 (2017).

9) Niels Van Quaquebeke and Will Felps, "Respectful Inquiry: A Motivational Account of Leading Through Asking Questions and Listening," *Academy of Management Review* 43, no. 1 (2016).

10) Carl R. Rogers and F. J. Roethlisberger, "BARRIERS AND GATEWAYS TO COMMUNICATION," *Harvard Business Review*, July–August 1952.（邦訳「『評価・説得する』より『理解力を持って聴く』」『DIAMONDハーバード・ビジネス』1992年2-3月号）

10. 悩める同僚からの相談が殺到した時の対処法

1) Peter J. Frost and Sandra L. Robinson, "The Toxic Handler: Organizational Hero—and Casualty," *Harvard Business Review*, July–August 1999.（邦訳「ヒーリング・リーダー　組織の動揺を静め活力を回復させる」『DIAMONDハーバード・ビジネス』2000年1月号）。原語のToxic

注

2. あなたが人の話を聞けない理由

1） “Leadership Is a Conversation,” with Michael Slind, *Harvard Business Review*, June 2012.（邦訳「会話力が俊敏な組織をつくる」『DIAMONDハーバード・ビジネス・レビュー』2012年11月号）

3. 人の話を聞く時の二つの心構え

1） Wendell Johnson, "The Fateful process of Mr. A Talking to Mr. B," *Harvard Business Review*, January-February 1953, 49.

4. 共感をもって話を聞く三つのステップ

1） Christopher C. Gearhart and Graham D. Bodie, “Active-Empathic Listening as a General Social Skill: Evidence from Bivariate and Canonical Correlations,” *Communication Reports* 24, no. 2 (2011): 86–98.
2） Tanya Drollinger, Lucette B. Comer, and Patricia T. Warrington, “Development and Validation of the Active Empathic Listening Scale,” *Psychology & Marketing* 23, no. 2 (2005): 160–180.
3） Grace Nasri, “8 Successful Entrepreneurs Give Their Younger Selves Lessons They Wish They Had Known Then,” *Fast Company*, May 9, 2013.

5. 優れたリーダーになる秘訣は、「いま、ここにいる」ことである

1） Rasmus Hougaard and Jacqueline Carter, *The Mind of the Leader: How to Lead Yourself, Your People, and Your Organization for Extraordinary Results*, Harvard Business Review Press, 2018.
2） Mark Horwitch and Meredith Whipple Callahan, “How Leaders Inspire: Cracking the Code,” Bain & Company, June 9, 2016.
3） Jochen Matthias REB, J. Narayanan and S. Chaturvedi, “Leading Mindfully: Two Studies of the Influence of Super visor Trait Mindfulness on Employee Well-Being and Performance,” *Mindfulness* 5, no. 1 (2014): 36–45.

8. 感情的にこじれた会話を元に戻す方法

1） Anthony L. Suchman, “A New Theoretical Foundation for Relationship-Centered Care,” *Journal of General Internal Medicine* 21, no. 1 (2006): S40–S44.

9. 部下の話に耳を傾けるだけで、自発的な改善が促される

1） Avraham N. Kluger and Angelo DeNisi, “The Effects of Feedback Interventions on Performance:

『Harvard Business Review』(HBR)とは

ハーバード・ビジネス・スクールの教育理念に基づいて、1922年、同校の機関誌として創刊され、エグゼクティブに愛読されてきたマネジメント誌。また、日本などアジア圏、ドイツなど欧州圏、中東、南米などでローカルに展開、世界中のビジネスリーダーやプロフェッショナルに愛読されている。

『DIAMONDハーバード・ビジネス・レビュー』(DHBR)とは

HBR誌の日本語版として、米国以外では世界で最も早く、1976年に創刊。「社会を変えようとする意志を持ったリーダーのための雑誌」として、毎号HBR論文と日本オリジナルの記事を組み合わせ、時宜に合ったテーマを特集として掲載。多くの経営者やコンサルタント、若手リーダー層から支持され、また企業の管理職研修や企業内大学、ビジネススクールの教材としても利用されている。

篠田真貴子(しのだ・まきこ)

エール株式会社　取締役／株式会社メルカリ　社外取締役
UWC ISAK ジャパン評議員／NPO法人かものはしプロジェクト理事
慶應義塾大学経済学部卒業。ペンシルバニア大学でMBA取得。日本長期信用銀行(現新生銀行)、マッキンゼー・アンド・カンパニー、ノバルティスファーマ、ネスレニュートリションを経て、2008年、ほぼ日に入社し、取締役CFOを務める。2020年より現職。『アライアンス』(リード・ホフマンほか著、ダイヤモンド社、2015年)の監訳、『仕事と家庭は両立できない?:「女性が輝く社会」のウソとホント』(アン＝マリー・スローター著、NTT出版、2017年)の解説ほか、ウェブサイトで洋書紹介など、幅広く活躍している。

ハーバード・ビジネス・レビュー［EIシリーズ］
マインドフル・リスニング

2020年11月4日　第1刷発行

編　者――ハーバード・ビジネス・レビュー編集部
訳　者――DIAMONDハーバード・ビジネス・レビュー編集部
発行所――ダイヤモンド社
〒150-8409　東京都渋谷区神宮前6-12-17
https://www.diamond.co.jp/
電話／03·5778·7228(編集)　03·5778·7240(販売)

ブックデザイン―コバヤシタケシ
製作進行――ダイヤモンド・グラフィック社
印刷――――勇進印刷(本文)・加藤文明社(カバー)
製本――――ブックアート
編集担当――前澤ひろみ

ISBN 978-4-478-11169-7

ハーバード・ビジネス・レビューが贈るEIシリーズ

幸福学

解説：**前野隆司**（慶應義塾大学大学院教授）「幸せに働く時代がやってきた」

共感力

解説：**中野信子**（脳科学者）「なぜ共感力が必要とされるのか」

マインドフルネス

解説：**三宅陽一郎**（日本デジタルゲーム学会理事）「マインドフルネスは時代の要請から生まれた」

オーセンティック・リーダーシップ

解説：**中竹竜二**（チームボックス代表取締役）「『自分をさらけ出す勇気』が問われる時代」

セルフ・アウェアネス

解説：**中原淳**（立教大学教授）「なぜいま、セルフ・アウェアネスが求められているのか」

レジリエンス

解説：**岡田美智男**（豊橋技術科学大学教授）「レジリエンスは関係性のなかに宿る」

やっかいな人のマネジメント

解説：**入山章栄**（早稲田大学大学院教授）「『面倒くさい人と付き合うスキル』が問われる時代」

集中力

解説：**石川善樹**（予防医学研究者）「どうすれば人は集中できるのか」

自信

解説：**藤原和博**（教育改革実践家）「『自信』の構造」

ハーバード・ビジネス・レビュー編集部［編］
DIAMONDハーバード・ビジネス・レビュー編集部［訳］

EIシリーズ特設サイト　http://diamond.jp/go/pb/ei/